'26年版

消防官
Ⅲ類・B 高卒レベル
過去問題集

JN016248

成美堂出版

今年はコレが出る❗

■ 最新の「白書」から問題がつくられる

試験の年に出された白書や統計資料から、数多くの問題がつくられています。「消防白書」、「科学技術・イノベーション白書」、「環境白書」など白書のチェックはかならず行ってください。

■「判断推理」の問題数がなんといっても多い

「判断推理」の分野が数多く出題されます。問題にはパターンがあり、解法のテクニックもあります。練習問題を数多くこなし、短時間で多くの問題を解けるようになることが合格のカギとなります。

■「資料解釈」の材料は、近年の経済や社会の動向

グラフや表から事実を読み取る問題は、経済の動向や社会の注目度の高いできごとをテーマにつくられています。表やグラフに慣れることが一番です。

■ 広い一般常識がものをいう

文学・芸術、漢字の読み・書きなど、社会人としての一般常識が備わっていることが大切です。高校までの復習をしっかりしてください。自然科学分野も基本はしっかり押さえましょう。

また、最近の社会情勢をとらえておくことも重要です。ロシアのウクライナ侵攻やパレスチナ問題などのキーワードは、整理しておきましょう。

2

この本の 使い方

　本書は、**消防官Ⅲ類・B（高卒程度）**採用試験で行われる、教養試験の過去問題集です。公表されている**過去に実施した問題**と、内容的に是非チャレンジしてもらいたい**予想問題**をあわせて掲載しました。

18科目の問題に挑戦しよう

過去 と **予想** —— 問題番号に、「**過去**」と「**予想**」のどちらかのマークが付いています。過去問題、予想問題の区別を確かめてください。

重要度 —— 🔔の数（1〜3）で、**問題の頻出度や重要度**を表します。問題の出題傾向を探るときの参考にしましょう。

解答時間 —— **理想的な解答時間の目安**です。

解説 —— 解答にいたるまでの流れを端的にわかりやすく説明しています。付属の**赤シートを使って**キーワードなどを隠して覚えましょう。

ポイントはココ！ —— 問題を解くにあたっての重要なテクニックです。

まとめてチェック！ —— 解説での説明以外に、是非覚えてもらいたいことがらを整理してまとめています。付属の**赤シートを使って**学習の確認をしてみましょう。

作文試験もこれでOK

作文試験 —— **過去に出題されたテーマ3題**を、答案例やアドバイスとともに示しました。巻末の原稿用紙を使って、実際に書いてみてください。

※本書は原則として2024年8月現在の情報で編集しています。

CONTENTS

採用試験の流れ

　消防官III類・Bの採用試験の流れを東京消防庁などの場合を参考にして説明すると、以下のようになります。

第1次試験

教養試験 ➤ 40〜50問を120分前後で解答します。問題はおおむね5肢択一です。
　　　　　一般知識分野…社会科学・人文科学・自然科学
　　　　　一般知能分野…文章理解・語句の用法・英文理解・数的処理・判断推理・空間概念・資料解釈

作文試験 ➤ 与えられたテーマに対して、800〜1200字程度で作文を書きます。時間は60〜90分程度です。

適性検査 ➤ 消防官としての適性を、各種の適性検査方法で検査します。
※東京消防庁の場合は「資格・経歴評定」があります。

第2次試験

※第2次試験は第1次試験の合格者に対して実施します。

身体検査 ➤ 視力・色覚・聴力の測定。血液検査等による健康度検査。

体力検査 ➤ 1km走・反復横とび・上体起こし・立ち幅とび・長座体前屈・握力・腕立て伏せによる体力の検査。

面接試験 ➤ 面接の形式は自治体ごとに異なりますが、東京消防庁の場合は口述試験として個人面接を実施します。

※試験の流れは、それぞれの自治体により、また、年度により異なります。受験をする際にはかならずご自身で各自治体に確認をとってください。

SECTION

①

社会科学

日本の政治や経済の基本的なしくみについては頻出度が高くなっています。
社会で起きていることがらに関心をもつことが大切です。国が発行する白書や資料からも問題が出されます。

① 政治

過去 **1** 日本国憲法における基本的人権に関する記述として、最も妥当なのはどれか。

1 憲法は法の下の平等を定め、生まれによって決定される人種、性別等の差別を禁じているが、自分で選択することのできる信条に関する差別については禁止していない。

2 言論や出版の自由は個人の人格形成に不可欠であることから憲法で保障されているが、集会の自由は他の人の権利と衝突するおそれがあるため、憲法で保障されていない。

3 憲法は信教の自由を保障しているが、宗教団体が国から特権を受けることや国が宗教的活動をすることを禁止している。

4 憲法は財産権の保障を規定し、また近代憲法においては個人の財産権は絶対不可侵のものと考えられているため、財産権に制限を加えることは許されない。

5 憲法は外国へ移住する自由を保障しているが、国籍を離脱する自由までは保障していない。

重要度		解答時間	**4分**	正解	**3**

 解説 ➡ **基本的人権は、生まれながらに備わった、永久に侵すことのできない、すべての国民が平等に享有する権利である。**

✕ **1** 日本国民は、人種、性別だけでなく、信条によっても差別されないことが憲法第14条に定められている。

✕ **2** 言論、出版だけでなく、集会、結社の自由も、憲法第21条により保障されている。

◯ **3** 憲法第20条において、いかなる宗教団体も、国から特権を受けてはならないことが定められている。また、国がいかなる宗教的活動をすることも禁じられている。

✕ **4** 憲法第29条において、財産権を侵すことを禁じているが、同時に、公共の福祉に適合するように、制限が加えられることはありうるとしている。

✕ **5** 日本国民が日本国籍を離脱する自由は、憲法第22条で保障されている。

 ポイントはココ！

●各設問文該当箇所に対応する日本国憲法の条文

1　すべて国民は、法の下に平等であって、**人種、信条、性別、社会的身分又は門地**により、政治的、経済的又は社会的関係において、差別されない。（第14条①）

2　**集会、結社**及び**言論、出版**その他一切の表現の自由は、これを保障する。（第21条①）

3　信教の自由は、何人に対してもこれを保障する。いかなる宗教団体も、国から**特権**を受け、又は政治上の権力を行使してはならない。（第20条①）

　　国及びその機関は、**宗教教育**その他いかなる**宗教的活動**もしてはならない。（第20条③）

4　財産権は、これを侵してはならない。（第29条①）

　　財産権の内容は、**公共の福祉**に適合するように、法律でこれを定める。（第29条②）

5　何人も、外国に移住し、又は**国籍を離脱する自由**を侵されない。（第22条②）

1 選挙制度の原則は、普通選挙・平等選挙・直接選挙・秘密選挙（投票）であるが、わが国ではこれらすべてが採用されてはいない。

2 衆議院の選挙制度は、現在では小選挙区制と比例代表制を組み合わせた小選挙区比例代表並立制が導入されている。

3 衆議院の選挙では、小選挙区の候補者が同時に比例代表の候補者にもなることができる重複立候補制は採用されていない。

4 参議院の選挙は、都道府県を単位とする選挙区制と、拘束名簿式比例代表制が並立されている。

5 わが国の選挙制度が抱える問題として一票の価値が不平等になるという問題があり、違憲判決が出され選挙が無効となったことがある。

重要度	🔔🔔🔔	解答時間	3分	正解	2

解説 → 衆議院選挙は小選挙区制と拘束名簿式比例代表制の並立制である。

✕ **1** わが国の選挙制度では、普通選挙・平等選挙・直接選挙・秘密選挙（投票）のすべてが採用されている。

○ **2** 日本の衆議院選挙では、1994年に中選挙区制をやめ、小選挙区比例代表並立制を導入した。

✕ **3** 小選挙区の候補者は、同時に比例代表の候補者になることもできる。そのため、小選挙区で落選しても、比例代表で当選することがある。

✕ **4** 参議院は非拘束名簿式比例代表制、衆議院は拘束名簿式比例代表制。2015（平成27）年7月改正公職選挙法成立。参議院選挙区に鳥取と島根、徳島と高知の選挙区を統合する合区ができた。2018（平成30）年7月には参議院定数6増の改正法が成立。比例代表に特定枠が新設され、枠内で政党が候補者にあらかじめ順位をつけられるようになった。

✕ **5** 日本の選挙制度の大きな問題点として、選挙区間の人口格差が大きく、一票の価値が不平等になるというものがある。違憲判決が出たこともあるが、選挙が無効になったことはない。

ポイントはココ！

●衆議院と参議院の比例代表制選挙の違いを把握しよう

・衆議院選挙…**拘束名簿式比例代表制**（各政党が提出した候補者名簿に順位がついている）→この順位にしたがって当選者が決定

・参議院選挙…**非拘束名簿式比例代表制**（各政党が提出した候補者名簿に順位がついていない）→①有権者は政党名または候補者名を書いて投票②各政党の得票数は政党名と候補者名の票数の合計③政党の議席が決定④候補者名が書かれた票を集計⑤多く獲得した候補者から順番に当選
（しかし、**特定枠**が新設されることで、2019年の選挙から政党が枠内で候補者名簿に順位をつけておくことが可能になった）

① 裁判員制度の対象となるのは、殺人などの重大な刑事事件の第一審に限られる。

② 裁判員の候補者は、2023（令和5）年以降も20歳以上の有権者から抽選で選ばれ、理由がなければ辞退できない。

③ 裁判員による裁判の構成は、原則として2人の裁判官と5人の裁判員からなる。

④ 裁判員と裁判官は、協同して有罪・無罪の判断をし、量刑は裁判官のみで行う。

⑤ 裁判員には、評議の過程での意見などについて守秘義務があるが、違反しても罰則はない。

| 重要度 | 🔔🔔🔔 | 解答時間 | 3分 | 正解 | 1 |

 解説 裁判員制度の対象事件は、殺人罪、強盗致死傷罪、覚醒剤取締法違反、現住建造物等放火罪、危険運転致死罪などの重大な犯罪。

○ **1** 国民の意見を採り入れるにふさわしい、人々の関心の高い重大な犯罪が裁判員制度の対象。裁判員裁判は、地方裁判所で行われる刑事事件の第一審が対象で、刑事裁判の控訴審・上告審や民事裁判、少年審判等は対象外。

✕ **2** 2023（令和5）年1月1日以降は、18歳、19歳の有権者も裁判員に選ばれる（法改正により2022年より施行されたが、実際に裁判員候補者名簿に記載されるのは2023年分から）。他は正しい。

✕ **3** 原則、3人の裁判官と6人の裁判員から構成され、1つの事件を担当。

✕ **4** 有罪・無罪の判断だけでなく、量刑の決定にも裁判員は参加する。アメリカやイギリスの陪審制度では、裁判官のみが量刑を決定する。

✕ **5** 罰則はある。「評議の秘密」や「その他の職務上知り得た秘密」を漏らしたときには、6月以下の懲役（2025年6月1日以降は拘禁刑）または50万円以下の罰金に処せられる。

まとめて チェック！

●外国の陪審制、参審制と日本の裁判員制度との相違

- **陪審制**…**アメリカ**や**イギリス**などで採用。
  有罪・無罪の判断は国民の中から選ばれた陪審員のみで行う。
  量刑は専門家である裁判官のみが行う。
  陪審員は事件ごとに選出される。
- **参審制**…**ドイツ、フランス、イタリア**などで採用。
  裁判官と国民の中から選ばれた参審員が合議体を作り、有罪・無罪、及び量刑を決定し、法律問題（法解釈）についても判断を行う。
  参審員は任期制で選出される。

＊日本の裁判員制度は参審制に近いが、法律問題（法解釈）が裁判官のみで行われる点、裁判員が事件ごとに選出される点が異なっている。

1 衆議院が内閣不信任を可決した場合には、内閣は14日以内に衆議院の解散をしない限り、総辞職しなければならない。

2 内閣の下に、2府9省があり、行政委員会、教育委員会のように地方が管理する機関もある。

3 内閣は行政を行うために、法律の範囲内で政令を定める権限を与えられている。

4 内閣総理大臣は、衆議院議員の中から国会の議決で指名しなければならない。

5 国務大臣は、内閣総理大臣が任命し、$\frac{2}{3}$ 以上は国会議員でなければならない。

重要度	💡💡💡	解答時間	3分	正解	3

解説 ▶ 政令は、内閣が憲法や法律の範囲内で定める法のことである。

✕ 1 内閣は10日以内に衆議院の解散をしないかぎり、総辞職する。内閣不信任決議については、日本国憲法第69条に定められている。

✕ 2 2024年7月現在、1府11省である（下図参照）。公正取引委員会や国家公安委員会は代表的な行政委員会で、政治的中立性や専門的知識を必要とし、ともに内閣府に設置されている。

◯ 3 政令も法の一種である。法には、国の基本法である憲法、国会の制定する法律、行政機関の定める命令などがある。命令には、内閣が定める政令や各省が定める省令などがある。

✕ 4 国会議員の中からである。憲法第67条に「内閣総理大臣は、国会議員の中から国会の議決で、これを指名する」とある。つまり、内閣総理大臣は、衆議院議員か参議院議員のいずれかであることが必要。

✕ 5 過半数が国会議員でなければならない。これは憲法第68条に定められている。

まとめて チェック！

●日本の内閣組織図

(内閣官房HP・改)

1 第二次世界大戦前の労働基本権に関わる法律は、労働基準法が制定されていただけで十分な保障はされていなかった。

2 労働者の団体行動権（争議権）は、第二次世界大戦終戦直後は経済復興を優先するため認められず、昭和30年代になって労働組合法により保障された。

3 労働関係調整法では、賃金・労働時間・休日・休暇・解雇手続きなど、およそすべての労働関係において、その最低基準を定めている。

4 1990年代以降、アルバイトやパート・派遣社員・契約社員などの非正規雇用の割合が増加したことを受け、政府は労働者派遣法を制定・改正し、非正規雇用の対象を制限した。

5 労働者の雇用・採用・昇進・定年など、労働条件のすべてにわたり男女差別を禁止する男女雇用機会均等法が制定され、後の改正でセクシュアルハラスメントの防止も義務付けられた。

| 重要度 | 🚨 🚨 🚨 | 解答時間 | **4分** | 正解 | **5** |

解説 **男女雇用機会均等法は1985（昭和60）年に制定された法律である。**

✕ **1** 労働基準法が制定されたのは1947（昭和22）年である。第二次世界大戦後、日本では民主化政策が進められ、労働法が根本的に改革された。

✕ **2** 団体行動権（争議権）は、日本国憲法第28条において保障されている。

✕ **3** 労働基準法のこと。労働基準法は労働条件の最低基準などを定めた法律。労働関係調整法は労働争議の予防・解決のための法律。2023年4月、改正労働基準法が施行され、働き方改革が推し進められている。

✕ **4** 労働者派遣法は、改正の度に非正規雇用の対象業種を拡大している。

◯ **5** セクシュアルハラスメント防止の義務付けは1997（平成9）年の法改正で。

まとめて チェック！

●労働法を整理しよう

- **労働関係調整法**…1946（昭和21）年制定、施行。労働関係を公正に調整、労働争議を予防・解決し、**産業の平和を保つ**ことが目的。

- **労働者派遣法**…派遣労働者の就業条件の整備、労働現場での権利を守るための法律。1985（昭和60）年制定、86年施行→2012（平成24）年、法改正、派遣期間が30日以内の「日雇派遣」は原則禁止→2015年、法改正、一般労働者派遣事業（許可制）と特定労働者派遣事業（届出制）の区分が許可制に一本化、また派遣労働者が同一の職場で働ける期間が原則、最長3年になる。

- **男女雇用機会均等法**…1985（昭和60）年制定、86年施行→97（平成9）年法改正により、**セクハラ防止**を雇用主に義務付け。一方、女性保護のために設けられていた時間外・休日・深夜業務などの規制を撤廃。→2007（平成19）年、男女双方への性差別の禁止、セクハラの対象に男性も加えるなどの法改正が施行された。→2017（平成29）年の法改正で、**マタハラ**に関する条文が加わる。

  2019（令和元）年の労働施策総合推進法の改正で、**パワーハラスメント防止対策**が事業主に義務付けられ、2020（令和2）年6月より施行された。

① 衆議院議員の任期は6年、参議院議員の任期は4年である。

② 衆議院が解散された場合、すべての議案は参議院で審議されるため、参議院が同時に閉会となることはない。

③ 国会議員は、いかなる場合においても、国会の会期中には逮捕されないことが保障されている。

④ 衆議院が解散されたときは、解散の日から30日以内に衆議院選挙を行い、その選挙の日から40日以内に国会を召集しなければならない。

⑤ 一人の人が同時に参議院議員と衆議院議員になることはできない。

中略

以下

本文

| 重要度 | | | | 解答時間 | 3分 | 正解 | 5 |

 解説 参議院議員を辞職して、衆議院議員選挙に立候補することはできるが、一人で両院の議員を兼任することはできない。

✕ **1** 衆議院議員の任期は4年、参議院議員の任期は6年である。また、衆議院には解散があるが、参議院にはない。

✕ **2** 参議院だけで審議されることはない。衆議院解散中に議決を必要とする緊急事態が発生した場合、参議院の緊急集会が開かれるが、この議決は次の国会開会後、10日以内に衆議院の同意がなければ無効となる。

✕ **3** 現行犯では逮捕される。ただし、それ以外はその議員の属する議院の同意がない限り、会期中は逮捕されない。

✕ **4** 解散の日から40日以内に衆議院選挙を行い、その選挙の日から30日以内に国会(特別国会)を召集するのが正解。

○ **5** 憲法第48条で、両議院議員の兼職が禁じられ、公職選挙法でも、公職についている者は在職のまま選挙に立候補することが禁止されている。

ポイントはココ!

●日本の国会のしくみを把握しよう

1 国会の地位…国権の最高機関、唯一の立法機関

2 二院制…衆議院→任期は4年。解散あり。衆議院の優越
　　　　　　参議院→任期は6年。解散なし。「良識の府」

3 国会の種類
・常会(通常国会)➡毎年1回、定期的に召集。会期は150日。次年度の予算の審議と議決が主要議題
・臨時会(臨時国会)➡内閣、または衆参いずれかの議院からの要求により召集
・特別会(特別国会)➡衆議院解散総選挙の日から、30日以内に召集。内閣総理大臣の指名が主要課題

過去 **1** 我が国の予算に関する記述として、最も妥当なのはどれか。

1 一般会計、特別会計、政府関係機関予算からなる国の予算は、内閣が編成し、国会で審議・議決されると、政府の各省庁が執行する。

2 財政の健全性をはかる尺度である基礎的財政収支は、一般会計の歳入・歳出の国債にかかわる部分も含めて算定される。

3 経済情勢の変化や天災により当初予算を変更することを補正予算といい、内閣が決定すれば、国会の議決は必要ない。

4 特別会計は、特定の収入を財源として特定の事業を行うために法律で設けられた会計であるため、会計年度は1年間ではない。

5 財政投融資は、国が集めた資金を融資・投資する制度であり、2001年度以降に急増して一般会計の半分の規模となっている。

重要度	解答時間	3分	正解	1

> **解説** 国の予算（国家予算）は、一般会計、特別会計、政府関係機関予算からなり、国会の審議・議決（承認）を経て、各省庁が執行する。

○**①** 正しい。また、国家予算は公開しなければならない。

×**②** 基礎的財政収支は、公共事業や社会保障等に使われる経費が、国の借金である国債に頼ることなくまかなえているかどうかを表す指標であり、国債にかかわる部分を除いて算定される。

×**③** 補正予算は内閣が作成し、国会の審議・議決を経た上で成立する。補正予算に関する他の説明は正しい。

×**④** 特別会計は国家予算の一つであり、会計年度は1年間である。日本の場合、4月1日から翌年3月31日までとなる。

×**⑤** 財政投融資の一般会計歳出に占める割合は、2024（令和6）年度で11.8％（財政投融資（予算案）13兆3376億円、一般会計歳出（予算案）112兆5717億円）。現在、財政投融資の財源は財投債（国債）の発行などにより調達され、郵便貯金や年金積立金とは無関係。

ポイントはココ！

●我が国の一般会計歳出の主要経費別推移（会計年度）

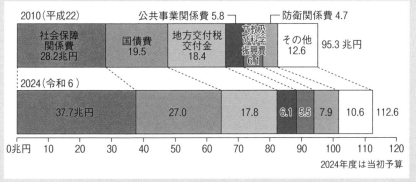

2010（平成22）
公共事業関係費 5.8
防衛関係費 4.7
社会保障関係費 28.2兆円
国債費 19.5
地方交付税交付金 18.4
文教及び科学振興費 6.1
その他 12.6
95.3 兆円

2024（令和6）
37.7兆円
27.0
17.8
6.1
5.5
7.9
10.6
112.6

0兆円 10 20 30 40 50 60 70 80 90 100 110 120

2024年度は当初予算

（「2024/25年版 日本国勢図会」をもとに作成）

21

インフレーション及びデフレーションに関する記述として、最も妥当なのはどれか。

① 賃金や原材料費などの生産コストの上昇により発生するインフレーションのことをコスト・プッシュ・インフレーションという。

② インフレーション対策として、公共事業を増大させるなどの財政政策が考えられる。

③ 物価の持続的下落と景気悪化が同時に進行し、経済の規模が急激に縮小する悪循環のことをスタグフレーションという。

④ デフレーション対策として、売りオペレーションや支払準備率の引き上げなどの金融政策が考えられる。

⑤ インフレーション下では、実質経済成長率が名目経済成長率よりも高く表示される。

重要度		解答時間	3分	正解	1

 解説　賃金、原材料、燃料などのコスト上昇によって起こるインフレを
コスト・プッシュ・インフレーションという。

○ **1** コスト・プッシュ・インフレーションは、費用インフレともいい、供給の側に原因がある。需要側に原因があるものをディマンド・プル・インフレーション、または需要インフレという。

× **2** 公共事業を増大させるのは、有効需要を増やし、経済を活性化するためであり、デフレーション対策になる。

× **3** スタグフレーションでは、物価の上昇と景気悪化が同時に進行する。

× **4** 売りオペレーションや支払準備率の引き上げは、いずれも景気を引き締めるためのもので、インフレーション対策となる。

× **5** インフレが起きている場合、名目経済成長率が実質経済成長率よりも高く表示される。

 ポイントはココ！

●インフレーションとデフレーションについて理解しよう

- インフレーション
  原因…通貨量の増加（需要インフレ）、生産費用の上昇（費用インフレ）
  影響…物価高→庶民の生活を圧迫
  対策…金融引き締め政策（売りオペレーション、支払準備率の**引き上げ**など）、財政支出の引き締め政策（公共投資の減少など）

- デフレーション
  原因…通貨量の減少
  影響…物価**下落**、会社の倒産、失業率の上昇→不景気、不況
  対策…金融緩和政策（買いオペレーション、支払準備率の**引き下げ**など）、財政支出の緩和政策（公共投資の増加など）

1 相互に関連のないさまざまな企業を吸収合併、買収し、複数の産業や業種にまたがって多角的に活動する複合企業のことをコングロマリットという。

2 同一産業の複数の企業が、価格や生産量などについて協定を結び、市場の独占的な支配をめざす形態をコンツェルンという。

3 複数の企業が株式のもち合いや融資関係、役員の派遣により結合し、多くの産業分野を支配する形態をトラストという。

4 同一産業の複数の企業が、独立性を捨てて合併し巨大企業となることで市場の独占的な支配をめざす形態をカルテルという。

5 複数の国に子会社や系列会社をもち、世界的規模で活動する企業をベンチャー企業という。

重要度		解答時間	2分	正解	1

解説 コングロマリットとは、異なった産業部門や他業種の企業を合併、買収して成り立つ複合企業のこと。

○ **1** 例えば、商社が自動車メーカーを買収して、さらに不動産会社、食品会社も合併し、複合企業になることなど。

× **2** コンツェルンではなく、カルテルのことをいっている。

× **3** トラストではなく、コンツェルンのことをいっている。

× **4** カルテルではなく、トラストのことをいっている。

× **5** ベンチャー企業ではなく、多国籍企業である。日本の大規模な商社や製造会社もほとんどが多国籍企業になる。ベンチャー企業は新技術などを開発する新しい企業で、冒険的な側面をもつ。

 まとめて チェック！

●カルテル、トラスト、コンツェルンを混同しないようにしよう

- **カルテル**…企業連合ともいわれ、参加する複数の企業はそれぞれ独立性を保っている。各企業は価格、生産量、販売ルートなどで協定を結ぶ。
- **トラスト**…企業合同ともいわれ、参加する企業は独立性を失い、より大規模な新しい企業をつくる。
- **コンツェルン**…企業連携ともいわれ、持株会社が親会社になり、さまざまな産業部門の企業を傘下において支配する。戦前の日本の財閥が代表例。近年、企業統合が進み、「○○ホールディングス」などの企業名をもつ持株会社が増えている。

日本の財政の役割と租税に関する記述として、最も妥当なものはどれか。

❶ 道路や公園などは、非競合性や非排除性をもたない公共財であるため、市場に任せていては供給されず、政府が供給する必要がある。

❷ 財政投融資は、2001年度以降、郵便貯金、厚生年金、国民年金などの安定した資金を財源として活用している。

❸ 累進課税制度や雇用保険制度は、不況期には有効需要を拡大し、好況期には有効需要を抑えるなど、自動安定化装置（ビルト・イン・スタビライザー）の役割を果たしている。

❹ 消費税は、税金の納入者は消費者だが、税を負担するのは販売事業者であるから、間接税に該当する。

❺ 所得税などで採用されている累進課税制度は、高所得者ほど税負担を重くすることで、税負担の水平的公平を図っている。

重要度		解答時間	4 分	正解	3

 解説　自動安定化装置（ビルト・イン・スタビライザー）が十分機能するためには、累進課税の税率、及び雇用保険の給付額などが大きいことが条件。

×1　非競合性（複数人が共同で消費できること）と非排除性（対価を払わない人を排除するのが困難なこと）を兼ね備えたものを公共財という。代表的なものに道路、公園、消防、警察、テレビ放送などがある。

×2　財政投融資は国の投資や融資などの金融活動のこと。2001（平成13）年の改革により、財源を郵便貯金や年金などに頼ることなく、国債の一種である財投債の発行などで得た資金で賄うことになった。

○3　好況期には個人所得は増えるが、累進課税制度によって所得税などがそれ以上の割合で増え、雇用保険などの社会保障給付は減少する。すると、可処分所得が減り、個人消費の過熱が抑えられる（有効需要が減る）。不況期は好況期の反対の作用が働く。

×4　消費税の納入者は販売事業者で、負担するのは消費者である。間接税は正しい。間接税では納入者（納税者）と実際の負担者が異なる。

×5　垂直的公平のことをいっている。水平的公平とは、所得が同じ程度であれば、職種を問わず税負担も同等にするという考え。

ポイントはココ！

●財政の自動安定化装置（ビルト・イン・スタビライザー）のしくみ

	累進課税制度	雇用保険・生活保護などの社会保障	
• **好況期**	➡所得税などの増加	失業保険金など社会保障給付の減少	→*可処分所得減少 ↓ 有効需要抑制
• **不況期**	➡所得税などの減少	失業保険金など社会保障給付の増加	→可処分所得増加 ↓ 有効需要増加

＊可処分所得…所得から税金などを引いた実際に使える金額のこと。

1 　第二次世界大戦後、日本を占領したGHQにより、経済の民主化が指令され、次の三大改革が行われた。①財閥解体　②農地改革　③労働の民営化

2 　1950年代半ばごろから高度経済成長とよばれる急速な経済成長を続け、第二次石油危機の起こった1973年までのあいだ、平均10%前後の率（実質成長率）で成長を続けた。

3 　日本経済は、1970年代に入るとかげりが見え始めた。これまでの過剰投資や労働力不足などが原因となって、企業の設備投資は鈍化し、成長率も低下し始めた。

4 　一般に、経済が発展するにつれて、産業の中心は第一次産業から第二次・第三次産業へと移っていく。第三次産業の比重の高まりは経済のサービス化とよばれている。合わせて経済のソフト化も第三次産業においてのみ進んだ。

5 　1990年代の中ごろから、円高傾向が急速に進んだため、低金利政策が実施され、「カネ余り現象」が生じ、バブル景気を生んだ。しかし、2000年代に入ると金融引き締めに転じたことなどから株価や地価は低迷し始め、ついにバブル経済は崩壊した。

| 重要度 | 解答時間 | 3分 | 正解 | 3 |

解説 戦後の日本経済の発展を年代順に把握しよう。

✕① GHQ最高司令官のマッカーサーは、幣原喜重郎首相に五大改革指令を要求した。1 女性の解放、2 労働組合の結成、3 学校教育の民主化、4 秘密警察などの廃止、5 経済の民主化の5つからなる。財閥解体、農地改革は経済の民主化の一環として実施された。

✕② 第二次石油危機は1979年のイラン革命が起こったときに、石油価格が上昇した事件。1973年は第一次石油危機（石油ショック）。

〇③ 日本経済は1973年の石油危機で高度経済成長が終わり、その後、低成長の時代に入ったとされる。

✕④ 経済のサービス化、ソフト化は、製造業など第二次産業においても見られる。製造業でも、研究開発等のサービス業に分類される仕事が増える傾向にあり、これを経済のサービス化という。また、機械本体（ハードウェア）よりも、機械を操作する知識や情報（ソフトウェア）の方が重要になることが多く、これを経済のソフト化という。

✕⑤ 円高傾向が急速に進んだのは1980年代の中ごろからである。また、1990年代に入るとバブル経済は崩壊した。

まとめて チェック !

●**日本経済史の重要用語**

• **財閥解体**…日本の産業界を独占してきた三井・三菱・住友・安田などの財閥が解体され、大資本が経済を支配できないようにしたこと。

• **第一次石油危機**…1973年10月、第4次中東戦争で、イスラエルと戦ったアラブ側が、石油輸出の制限と価格の4倍の引き上げを強行したために起きた。日本でも石油不足、物価高騰に。

• **バブル景気**…円高、低金利政策のために「カネ余り現象」が起き、資金が土地や株式などの投機に流れ、地価や株価が大高騰した現象。

外国為替市場と為替レートに関する次の記述で、 A ～ E に 当てはまる語句の組合せとして最も妥当なのはどれか。

　外国為替市場における自国通貨と外国通貨の交換比率を為替レートといい、現在の主要通貨の為替レートは、外国為替市場における通貨の需要と供給の関係によって決まる　A　となっている。

　例えば、1ドル＝200円が1ドル＝100円になると、　B　に対する　C　の価値が高まり、　D　となる。

　日本の輸出が増加した場合、日本が獲得した　B　を外国為替市場で　C　に交換するため、　C　への需要が高まる一方、　B　への需要が減少するため、　E　になる傾向がある。

	A	B	C	D	E
1	固定相場制	円	ドル	円安・ドル高	円高・ドル安
2	固定相場制	ドル	円	円高・ドル安	円安・ドル高
3	変動相場制	円	ドル	円高・ドル安	円安・ドル高
4	変動相場制	ドル	円	円高・ドル安	円高・ドル安
5	変動相場制	ドル	円	円高・ドル安	円安・ドル高

重要度		解答時間	4 分	正解	4

解説 1ドル＝200円が1ドル＝100円になる場合は、円高ドル安になったという。1ドル＝100円が1ドル200円になる場合は、円安ドル高になったという。

A　変動相場制は為替レート（通貨の交換比率）が固定されず、需要と供給によって決まっていくシステム。固定相場制は為替レートが固定されているものであり、各国の中央銀行は、自国の為替レート需給バランスが崩れて変動しそうなときに市場介入を行い、為替レートを固定する義務を負っていた。

日本の円とアメリカのドルの相場は、1ドル＝360円という固定相場制が長く続いたが、1973（昭和48）年、変動相場制に移行した。

B〜E　円高や円安の問題では、1円あたりの価値を計算する。1ドル＝200円では1円＝1/200ドル。1ドル＝100円では1円＝1/100ドルになる。1/100＞1/200であるから、1ドル＝100円の方が1ドル＝200円よりも、円の価値が高くなる。したがって、円高ドル安となる。

現在の日本経済は輸出関連企業が中心となっているので、円高ドル安になると外国で日本製品が売れなくなり、日経平均株価などが下落する。

 ポイントはココ！

●円高ドル安のメカニズム

日本の利上げ・アメリカの低金利
➡日米の金利差広がり、円運用が有利

世界経済が混乱
➡比較的安定している通貨である円を買う動き

円買い・ドル売り

円の需要上昇、ドルの需要減少 ➡ 円高ドル安

日本の輸出企業に不利 ➡ 日本の株価が下落

3 社会

予想 **①** **世界で起きている戦争や安全保障に関わる、2024年8月20日までの記述として、最も妥当なのはどれか。**

① ウクライナ戦争においては、ロシア軍はウクライナ領内を攻撃する一方で、ウクライナ軍はロシア領内を攻撃できないという制約があった。しかし、2024年5月末、アメリカ政府は自国が供与した武器でウクライナ軍がロシア領内を攻撃することを許可した。

② ウクライナ戦争の最近の情勢はロシアがやや有利に展開している。ロシア軍はウクライナ東部のハルキウ州の攻撃を激化させている。一方、2014年にロシアが一方的に併合したクリミア半島はウクライナ軍のロシア領内への攻撃が禁止されているため、平穏な状態が続いている。

③ 2024年6月19日、ロシアと北朝鮮は「包括的戦略パートナーシップ条約」を締結した。これは一方が敵国から攻撃を受けた場合、もう一方が軍事支援を行う軍事同盟である。ロシア、北朝鮮と近い関係にある中国は、アメリカと対立関係にあるため、2国間のこの条約について好意的な態度を示している。

④ 2023年10月7日、パレスチナのガザ地区を支配するイスラム原理主義組織ハマスによる、イスラエルの民間人殺害が行われ、翌日、イスラエルがハマスに宣戦布告、以降、両者の激しい戦闘が続いたが、2024年5月に停戦協定が結ばれ、長期にわたる停戦が実現している。

⑤ 2023年10月7日から始まったパレスチナ・イスラエル戦争では、ハマスと連帯関係にあるイスラエルの隣国ヨルダンのイスラム教シーア派組織ヒズボラもイスラエルと戦闘状態にあり、戦火の拡大が懸念される。

重要度		解答時間	4分	正解	1

解説 ウクライナ戦争において、軍事力ではロシアがウクライナを圧倒しているが、欧米からの武器支援によりウクライナ軍も反撃し、戦争は長期化。最近は欧米の支援疲れもあり、やや**ロシアが優勢**。

○ **1** 2024年5月末、ロシアを過度に刺激することを警戒してきたアメリカなどは方針を転換、北東部ハルキウ州の防衛強化を目的に、自国が供与した武器でウクライナがロシア領内を攻撃することを許可した。

× **2** ウクライナ軍は攻撃をしている。2024年6月、クリミアのセバストポリ市当局（現在ロシア領）は、ウクライナ軍のミサイル攻撃により死傷者が出ていると、ウクライナと武器供与をしているアメリカを非難した。

× **3** ロシア、北朝鮮がともに欧米からは「ならず者国家」と見られていることを意識して、中国はこの条約に一歩引いた態度を示している。

× **4** 停戦を模索する動きはあるが、長期にわたる完全な停戦が実現したことはない。イスラエルのネタニヤフ首相はハマスの壊滅まで戦闘を続けると主張しているが、アメリカはイスラエルに対し、停戦合意への圧力を強めている。

× **5** ヒズボラはヨルダンではなく、レバノンのイスラム教シーア派組織である。他の記述は正しい。

まとめて チェック！

●ウクライナ戦争地図 （2024年8月20日現在）

（アメリカ合衆国シンクタンク ISW、他）

1 2018（平成30）年5月、ユネスコの諮問機関のイコモス（ICOMOS／国際記念物遺跡会議）は、日本の世界遺産（文化遺産）候補である「長崎と天草地方の潜伏キリシタン関連遺産」についての登録延期を勧告した。

2 2019（令和元）年5月イコモスは、日本政府が推薦していた大阪市の「百舌鳥・古市古墳群」について、世界遺産に登録すべきことを勧告、7月、ユネスコの世界遺産会議によって正式に世界遺産（文化遺産）への登録が決定した。

3 2020（令和2）年5月、我が国は日本で24番目の世界遺産登録を目指して、「奄美大島、徳之島、沖縄島北部及び西表島」を推薦していたが、IUCN（国際自然保護連合）から「登録延期」の勧告を受け、事実上、落選となり、世界遺産登録を断念した。

4 2021（令和3）年7月、三内丸山遺跡（青森県）、大湯環状列石（秋田県）、御所野遺跡（岩手県）、北黄金貝塚（北海道）などからなる「北海道・北東北の弥生遺跡群」が、世界的にも珍しい日本の弥生文化を証明するものと評価され、世界遺産に登録された。

5 2024（令和6）年6月、新潟県の「佐渡島の金山」の世界遺産への登録について、日本政府はイコモスから追加の情報を求めるという評価結果（情報照会勧告）を受けた。そして7月、「佐渡島の金山」は世界遺産（文化遺産）への登録が決定した。

| 重要度 | 🔔🔔🔔 | 解答時間 | 3分 | 正解 | 5 |

解説 「佐渡島の金山」は、2023年には世界遺産委員会から推薦書類不備のため差し戻しとなっており、日本政府はユネスコに推薦書を再提出、2024年、登録が決定した。

✕ **1** 「長崎と天草地方の潜伏キリシタン関連遺産」は2018年7月に登録。

✕ **2** これらの古墳群は大阪市にはない。仁徳天皇陵（大仙陵古墳）をはじめとした百舌鳥古墳群は堺市、古市古墳群は藤井寺市と羽曳野市にある。

✕ **3** 新型コロナウイルス感染拡大のため、2020（令和2）年の世界遺産委員会は延期。翌2021年7月に登録。アマミノクロウサギやヤンバルクイナ、イリオモテヤマネコなど固有種が多く生息することが評価された。

✕ **4** 弥生ではなく、縄文。同時代の他地域と異なり、農耕ではなく、狩猟・採集が生業でありながら、定住生活が営まれた点などが評価された。

◯ **5** 「佐渡島の金山」は17世紀の世界最大の金山とされ、高度な手工業による採掘技術や、独自の鉱山運営・生産システムなどが確立されていた。

まとめて チェック！

●日本の世界遺産（数字は登録年）

文化遺産
①法隆寺地域の仏教建造物　1993
②姫路城　1993
③古都京都の文化財　1994
④白川郷・五箇山の合掌造り集落　1995
⑤原爆ドーム　1996
⑥厳島神社　1996
⑦古都奈良の文化財　1998
⑧日光の社寺　1999
⑨琉球王国のグスク及び関連遺産群　2000
⑩紀伊山地の霊場と参詣道　2004
⑪石見銀山遺跡とその文化的景観　2007
⑫平泉－仏国土（浄土）を表す建築・庭園及び考古学的遺跡群　2011
⑬富士山－信仰の対象と芸術の源泉　2013

⑭富岡製糸場と絹産業遺産群　2014
⑮明治日本の産業革命遺産　製鉄・製鋼、造船、石炭産業　2015
⑯ル・コルビュジエの建築作品－近代建築運動への顕著な貢献　2016
⑰「神宿る島」宗像・沖ノ島と関連遺産群　2017
⑱長崎と天草地方の潜伏キリシタン関連遺産　2018
⑲百舌鳥・古市古墳群－古代日本の墳墓群　2019
⑳北海道・北東北の縄文遺跡群　2021
㉑佐渡島の金山　2024

自然遺産
㉒屋久島　1993　　㉓白神山地　1993
㉔知床　2005　　㉕小笠原諸島　2011
㉖奄美大島、徳之島、沖縄島北部及び西表島　2021

「令和6年版　環境白書・循環型社会白書・生物多様性白書」（環境省）に関する記述として、最も妥当なのはどれか。

1　我が国では、2023（令和5）年1月時点で、陸地・海洋ともに約30％が生物多様性の観点からの保護地域に指定され、すでに30by30目標を達成したが、今後も国立公園などの拡張により現状からの更なる上乗せを目指していく。

2　我が国では、大気環境の保全のため、光化学オキシダント及びPM2.5の生成原因となりうるマイクロプラスチックに関する排出実態の把握に努め、対策を進める方針である。

3　「ネイチャーポジティブ」は「自然再興」と訳され、自然を回復軌道に乗せるため、生物多様性の損失を止め、さらに反転させることを意味している。

4　温室効果ガスが大量に大気中に排出されることで、地球温暖化が進行しているといわれている。中でも、メタン（CH_4）は化石燃料の燃焼等によって膨大な量が人為的に排出されている。

5　文部科学省と気象庁が2020（令和2）年に公表した「日本の気候変動2020」によると、20世紀末と比較した21世紀末の年平均気温が、気温上昇の程度をかなり低くするために必要となる温暖化対策を講じた場合には日本全国で平均1.4℃の上昇にとどまり、温室効果ガスの排出量が非常に多い場合には、日本全国で平均2.5℃上昇すると予測されている。

| 重要度 | 🔔🔔🔔 | 解答時間 | 4分 | 正解 | 3 |

 解説 ネイチャーポジティブは、自然保護だけを行うものではなく、社会・経済全体を生物多様性の保全に貢献するよう変革させていく考え方。

×**1** 30by30（サーティ・バイ・サーティ）は、2030年までに陸と海の30％以上を健全な生態系として保存しようという目標であり、まだ達成していない。

×**2** マイクロプラスチックではなく、窒素酸化物（NOx）や揮発性有機化合物（VOC）。マイクロプラスチックは主に海洋環境に影響を与える。

○**3** ネイチャーポジティブには、これまでの目標であった生物多様性の損失を止めることから一歩前進し、損失を止めるだけではなく、回復に転じさせるという強い決意が込められている。

×**4** メタンではなくCO_2。我が国が排出する温室効果ガスのうち、CO_2の排出が全体の排出量の約91％を占めている。

×**5** 温室効果ガスの排出量が非常に多い場合、日本全国の年平均気温が4.5℃上昇すると予測されている。

 ポイントはココ！

●環境問題を整理しよう

・**1.5℃の目標**…2015年12月に採択されたパリ協定で掲げられた努力目標。世界の平均気温の上昇を産業革命前と比べて**1.5度に抑えよう**というもので、この目標を達成するために、世界は2030年までにCO_2排出量を**45％**（2010年比）、2050年ごろまでに**実質ゼロ**に削減し、メタンなど他の温室効果ガスも大幅削減の必要があるとしている。

・**気温上昇を1.5℃に抑えた場合と2℃の場合の違い**

1　海面上昇が約10cm少なくなり、**最大1000万人分のリスク**が減る

2　世界の年間漁獲量の減少を300万t超から**約150万t**に抑えられる

3　サンゴ礁の消失99％以上を**70〜90％**の消失に抑えられる

4　夏の北極の海氷消滅を10年に1回から**100年に1回**程度に抑えられる

資源・エネルギー問題に関する記述として、最も妥当なのはどれか。

1 現在では、石油が二次エネルギーの中心になり、電力などの一次エネルギーが経済の基盤をなしている。

2 発電とともに蒸気や熱などを後工程で再利用するのが、ゼロエミッションである。

3 バイオマスは生物エネルギーのことで、家畜のふん尿から出るメタンガスや、可燃ごみを利用するなど有機物をエネルギー源とする。

4 2000年には廃棄物対策とリサイクル対策を総合的、計画的に推進する目的で「リサイクル基本法」が制定された。

5 資源大量消費型生活スタイルから省資源型生活スタイルへあらためるため3Rの心がけが進められている。3Rとは、「リフューズ」「リユース」「リサイクル」の3つである。

| 重要度 |  | 解答時間 | 3分 | 正解 | 3 |

解説 ➡ **バイオマスは化石燃料に代わるエネルギー源として期待される。**

✕ **1** 石油、石炭など自然界に存在するままの形で利用されるものを一次エネルギー、電気のように一次エネルギーを変換・加工して利用されるものを二次エネルギーという。

✕ **2** ゼロエミッションは、廃棄物を原材料などとして有効に活用し、廃棄物を一切出さないシステムのこと。

◯ **3** バイオマスの種類には、ふん尿、可燃ごみの他、動物の死骸、プランクトン、木材、海藻、紙などの有機物がある。

✕ **4** 2000年に制定されたのは、「循環型社会形成推進基本法」である。

✕ **5** 3Rの場合には、「リフューズ（余分なものを断る）」ではなく、「リデュース（縮小する）」。環境問題では、ごみなどの発生を抑制することを意味する。3Rに「リフューズ」を加えて4Rとすることもある。

 ポイントはココ！

●3R（スリーアール）について理解しよう

3R ➡ 環境と経済が両立した循環型社会を形成していくためのキーワード。**リデュース（Reduce）、リユース（Reuse）、リサイクル（Recycle）** の3つのRを推進する。

• **リデュース**…廃棄物の発生自体を抑制すること。事業者には、原材料の効率的利用、使い捨て製品の製造・販売等の自粛、製品の長寿命化などが求められる。**リサイクル、リユースより優先される。**

• **リユース**…再使用ともいわれ、いったん使用された製品や部品、容器等を再び使うこと。

• **リサイクル**…廃棄物等を再利用すること。**原材料として再利用する再生利用（再生資源化）、焼却して熱エネルギーを回収するサーマルリサイクル（熱回収）** がある。

1 2022（令和4）年中の出火件数は3万6,314件で、1日当たり99件の火災が発生したことになる。また、出火件数は高齢者の一人暮らしが増えたなどの理由で、10年前の2012（平成24）年中の、ほぼ2倍に増加している。

2 2022（令和4）年中の出火件数を四季別に見ると、冬季（12月～2月）が最も多く、次いで秋季（9月～11月）、春季（3月～5月）、夏季（6月～8月）の順になっている。

3 2022（令和4）年中の火災による死者数（放火自殺者等を除く）は1,195人で、そのうち65歳以上の高齢者が50.2％を占める。年齢階層別の人口10万人当たりの死者数（放火自殺者等を除く）は、年齢が高くなるに従って著しく増加している。

4 2022（令和4）年中の出火率（人口1万人当たりの出火件数）は全国平均で2.9件／万人であり、都道府県別では最高は大分県の4.9件／万人、最低は富山県の1.5件／万人となっている。

5 女性消防吏員は年々増加しており、2023（令和5）年4月1日現在、全国消防吏員に占める女性消防吏員の割合は13.5％であり、警察官11.4％（2023年4月1日現在。地方警察官に占める割合）、自衛官8.7％（2022年度末現在）、海上保安庁9.0％（2023年4月1日現在）などと比較すると高い状況にある。

重要度	⛯⛯⛯	解答時間	3 分	正解	4

解説 富山県は1991（平成 3 ）年以降、連続して出火率が最低。

✕ **1** 2022（令和 4 ）年中の出火件数は2012（平成24）年中の出火件数 4 万 4,189件の82.2％に減少している。他の数値は正しい。

✕ **2** 出火は冬季と春季に多い。冬季（12月〜 2 月）が 1 万590件（29.2％）。春季（ 3 月〜 5 月） 1 万731件（29.6％）、秋季（ 9 月〜11月）7,625件（21.0％）、夏季（ 6 月〜 8 月）7,368件（20.3％）の順（2022年）。

✕ **3** 火災による死者数は、65歳以上の高齢者が73.2％を占める。年齢階層別の人口10万人当たりの死者数は、高齢ほど増加し、特に81歳以上の階層が、全年齢階層における平均の3.7倍となっている（2022年）。

◯ **4** 1 日当たりの火災による死者数は4.0人で、人口10万人当たりの火災による死者数は全国平均で1.2人となっている。都道府県別では、最多は鳥取県の2.7人、最少は神奈川県の0.5人である（2022年）。

✕ **5** 全国消防吏員に占める女性消防吏員の割合は3.5％である（2023年 4 月 1 日現在）。他分野の数値は正しく、女性消防吏員の割合が最も低い。

まとめて チェック！

●**女性消防吏員数・割合の推移** （各年 4 月 1 日現在）

（「消防防災・震災対策現況調査」より作成）

国連専門機関に関する次のアからウの記述と、その記述に該当する専門機関の略称の組み合わせとして、最も妥当なのはどれか。

ア　教育・科学・文化の研究、普及、国際協力・交流などを任務とする専門機関であり、世界遺産を選定することでも親しまれている。

イ　緊急および中長期の国際的保健事業の調整・支援を行う専門機関であり、HIVやエボラ熱、SARSなどの対処で脚光をあびている。

ウ　各国の労働立法や適正な労働時間、賃金、労働者の保健衛生に関する勧告などを行う専門機関であり、労働条件の国際的改善に先進的な役割を果たしている。

	ア	イ	ウ
1	UNESCO	WHO	ILO
2	UNICEF	WHO	ILO
3	UNESCO	WHO	IAEA
4	UNICEF	WTO	IAEA
5	UNESCO	WTO	IAEA

| 重要度 | 🔆🔆🔆 | 解答時間 | 3分 | 正解 | 1 |

解説 ▶ 国連の主だった専門機関の名称・略称と活動内容などを覚えよう。

UNESCO…ユネスコ。国際連合教育科学文化機関。1946年設立。教育の普及、世界遺産の保存などを通して国際平和と人類の福祉の促進を目的とする。

WHO…世界保健機関。1948年設立。保健・衛生面の国連の専門機関。医療活動の促進、病気に対する援助、衛生の国際的向上を目指す。

ILO…国際労働機関。第一次世界大戦後の1919年、ベルサイユ条約によって設立。労働条件を国際的に改善し、平和の増進を図る。

UNICEF…ユニセフ。国際連合児童基金。1946年設立。現在は発展途上国などの児童に対する保健衛生活動、教育、職業訓練などを行っている。

WTO…世界貿易機関。1995年設立。加盟国間の貿易関係の紛争を解決し、モノの輸出入に加え、サービス分野などの貿易のルールも扱う。

IAEA…国際原子力機関。1957年設立。原子力の平和的利用を推進し、原子力の軍事的利用への転用を防止することが目的。

まとめて チェック！

●国際連合のしくみを整理しよう

- 総会…全加盟国の代表で構成される国連の最高機関。投票権は平等。過半数による議決が原則。重要事項は投票国の**3分の2以上**の賛成で議決。

- 安全保障理事会（安保理）…世界平和と安全の維持を目的とする。常任理事国**5カ国**と非常任理事国**10カ国**からなる。常任理事国は米・英・仏・露・中の**5大国**で、拒否権をもつため権限が集中。

- 経済社会理事会…経済・社会・文化・教育などの国際交流を進め、**WHO**や**ILO**など多くの国連専門機関と連携している。

- 事務局…事務総長の下、国連各機関の多岐にわたる事務を担当する。

- 国際司法裁判所…国家間の争いを裁く、オランダの**ハーグ**に置かれた国際裁判所。一方の国だけの訴えでは、裁判は行われない。

SECTION ① 社会科学 ▶ 攻略のコツ

政治

● 日本国憲法の問題は頻出です。
● 国会のしくみや衆議院や参議院の特色は高校までの教科書の復習が一番です。
● 裁判員制度に関することがらも基本を理解しておくことが大切です。

経済

● 経済の基本用語の意味はしっかりと押さえておきましょう。
　インフレ・デフレ、企業形態の種別などはよく出題されます。
● 国の予算に関することがらもチェックしておきましょう。
● 新聞やインターネット、テレビのニュースで最近耳にする経済関連の単語は、
　その意味をよく理解しておいてください。

社会

● 国が発行する白書や資料などは、その内容や目的を把握しておくことが攻略の
　ポイントになります。
● 社会の動きや問題点をしっかりとつかんでおくことが大切です。
● 気になった新聞の記事などを切り抜いて、ファイリングしておくと便利です。
　インターネットやテレビのニュースによる情報収集とは別な勉強のテクニック
　になります。

SECTION

2

人文科学

高校までの学習の復習が決め手になります。
まんべんなくすべてを見直しましょう。
国語の基礎知識である、漢字や文学は問題を
数多くこなしてください。

4 日本史

わが国の古代から近世にかけて成立した文化に関する記述として、最も妥当なのはどれか。

❶ 天平文化は、唐の影響を強く受けて成立した国際色豊かな文化で、正倉院に収められている工芸品には、インドやペルシアなどの西方地域との交流のあとがみられる。

❷ 国風文化は、大陸文化を日本の風土や思想に調和させて成立した文化で、仮名文字が普及し、「万葉集」などの和歌集や「徒然草」などの随筆が多く生まれた。

❸ 鎌倉文化は、武士の素朴で質実な気風が多方面で反映された文化で、歌舞伎や狂言などの芸能が武士や庶民の間で流行し、鎌倉将軍の保護を受けて発展した。

❹ 室町文化は、武士や公家に加え、町衆や農民なども文化の担い手として登場した国民的文化で、浮世草子や人形浄瑠璃などの庶民文化が民衆の間に広まった。

❺ 桃山文化は、大名や豪商の富によって築かれた雄大豪華な文化で、千利休が大成した侘び茶や、出雲の阿国が大成した猿楽能が都市の人々にもてはやされた。

重要度	🔔 🔔 🔔	解答時間	3分	正解	1

解説 ➤ **天平文化は、奈良時代に平城京を中心に栄えた唐風の文化。**

⭕**1** 天平（てんぴょう）文化は、国際的な唐の文化の影響を強く受けている。仏教との結びつきも強い。聖武天皇のときの年号によって、天平文化という。

❌**2** 国風文化は平安時代の文化。「万葉集」は奈良時代の歌集で、天平文化を代表する作品である。「徒然草」は鎌倉時代の随筆。

❌**3** 歌舞伎は江戸時代に全盛期を迎える。狂言は室町時代に流行した。

❌**4** この文章は室町時代ではなく、江戸時代の元禄文化について述べたものである。

❌**5** 17世紀初め、出雲（いずも）の阿国（おくに）がかぶき踊り（念仏踊り）を始め、その後、女歌舞伎として流行した。

まとめて チェック！

●それぞれの時代の文化と作品、作者を整理しよう

時代	文化	代表的な芸術作品と人物など
奈良	天平文化	万葉集　古事記　日本書紀
平安	国風文化	源氏物語（紫式部）　枕草子（清少納言） 古今和歌集及び土佐日記（紀貫之）
鎌倉	鎌倉文化	平家物語　新古今和歌集　徒然草（吉田兼好）
室町	北山・東山文化	能楽（観阿弥・世阿弥）　水墨画（雪舟）　御伽草子
安土桃山	桃山文化	茶道（千利休）　歌舞伎（出雲の阿国）
江戸	元禄文化	浮世草子（井原西鶴）　人形浄瑠璃（近松門左衛門）
	化政文化	浮世絵［錦絵］（葛飾北斎、歌川広重）

① 源頼朝は1180年、主従関係を結んだ東国の武士たちを統制支配するために侍所を置き、その長官に弟の源義経を任じた。

② 後鳥羽上皇による承久の乱は、幕府の圧倒的な勝利に終わったが、戦功のあった御家人たちは十分な恩賞を与えられず、不満を高めていった。

③ 武家社会初の法典である御成敗式目は、源頼朝以来の先例や、道理とよばれた武士社会での慣習や道徳に基づいて制定された。

④ 幅広い階層を対象とする新しい仏教が成立したが、なかでも道元の開いた臨済宗は武士の間に広がり、幕府の保護を受けることとなった。

⑤ 日明貿易による明銭の輸入がさかんに行われ一般に広まったため、貨幣経済が発達し、年貢も貨幣で納めることが多くなった。

| 重要度 | ◻︎ ◻︎ ◻︎ | 解答時間 | 3分 | 正解 | 3 |

 解説 御成敗式目は、御家人同士や御家人と荘園領主との間の紛争を公平に裁く基準を明確化したもので、武家社会初の法典。

✕ ① 侍所の長官に源義経は任じられていない。和田義盛が長官である別当に任じられた。

✕ ② 設問文は、主に蒙古襲来（元寇）の後のことである。

◯ ③ 御成敗式目（貞永式目）は、1232（貞永元）年、北条泰時によって定められた。

✕ ④ 日本の臨済宗の開祖は栄西である。道元は曹洞宗の開祖。道元は、ひたすら座禅に徹することを説いた。

✕ ⑤ 設問文は室町時代のこと。中国の明が建国されたのは1368年。鎌倉幕府はその前の1333年に滅びている。

まとめて チェック！

●鎌倉時代の主なできごとについて整理しよう

年	主なできごと
1192	源頼朝が征夷大将軍となり、武家政治が確立される
1199	頼朝死去
1205	北条義時が鎌倉幕府執権になる
1221	承久の乱で幕府軍勝利、後鳥羽上皇ら三上皇が配流（島流し）となる
1232	北条泰時が武家初の法典である御成敗式目を制定
1274	蒙古襲来（元寇）－文永の役 ⎫ 北条時宗を初めとした幕府軍は元軍を撃退
1281	蒙古襲来（元寇）－弘安の役 ⎭ するが、その後、鎌倉幕府は衰退
1297	御家人救済のため、徳政令発布
1333	鎌倉幕府が、後醍醐天皇、楠木正成、足利高氏、新田義貞らに滅ぼされる

1575（天正3）年、織田信長が鉄砲を大量に用いた戦法で騎馬隊を中心とする武田勝頼の軍に大勝した戦いの名称として、最も妥当なのはどれか。

① 山崎の戦い

② 桶狭間の戦い

③ 長篠の戦い

④ 賤ヶ岳の戦い

⑤ 小牧・長久手の戦い

| 重要度 | ☼ ☼ ☼ | 解答時間 | 2分 | 正解 | 3 |

解説 → 織田信長は、長篠(ながしの)の戦いにおける鉄砲隊の使用によって、無敵といわれた武田の騎馬軍団を壊滅させ、戦闘方法を大きく変えた。

✗ **1** 山崎の戦いは1582年、豊臣秀吉が本能寺の変を起こした明智光秀を、山城の山崎天王山(てんのうざん)で破ったもの。

✗ **2** 桶狭間(おけはざま)の戦いは1560年、織田信長が駿河の戦国大名今川義元を、尾張の桶狭間で倒したもの。今川軍2万5千の兵力に対して、織田軍は3千であったといわれている。

◯ **3** 1575年の長篠(三河)の戦いでは、信長軍の足軽鉄砲隊が威力を発揮。武田軍は大敗し、信玄の息子の勝頼は失脚、武田氏の滅亡を招いた。

✗ **4** 賤ヶ岳(しずがたけ)の戦いは1583年、豊臣秀吉が同じく信長の家臣であった柴田勝家を、琵琶湖北岸、近江の賤ヶ岳にて破ったもの。これにより、秀吉は信長の後継者の地位を固めた。

✗ **5** 小牧・長久手(こまき・ながくて)の戦いは1584年に尾張で起きた豊臣秀吉と徳川家康の戦い。家康は信長の次男信雄(のぶかつ)を助け、秀吉と争った。勝敗は決せず、和睦。

 ポイントはココ！

●織田信長と豊臣秀吉の政策について年表で把握しよう

年	信長	年	秀吉
1560	桶狭間の戦い	1582	山崎の戦い　太閤検地を行う
1571	延暦寺焼打ち	1583	賤ヶ岳の戦い　大坂城建設
1573	将軍足利義昭を追放	1584	小牧・長久手の戦い
	（室町幕府滅亡）	1585	関白となる
1575	長篠の戦い	1588	刀狩を行う
1576	安土城建設	1590	小田原平定　奥州平定→全国統一
1582	本能寺の変で死去	1592	朝鮮出兵（秀吉死去の98年まで）

1 幕府に登用された儒学者新井白石は、幕府の財政危機を切り抜けるため、貨幣を改鋳して品質を落とし、その差益（出目）を幕府の収入に当てるとともに、海舶互市新例を定めて長崎貿易を拡大した。

2 8代将軍徳川吉宗は、幕府収入の増加を図るため、囲米を実施して諸大名に米の上納を命じ、また年貢収入を安定させるために、豊凶に関係なく毎年一定の年貢額を課税する検見取法（検見法）を採用した。

3 老中の田沼意次は、商人の出資で印旛沼・手賀沼の干拓を企て、商工業者の株仲間結成と営業独占を認めるかわりに運上・冥加を徴収するなど、町人の経済力を利用して幕府収入を増やす政策をとった。

4 老中の松平定信は、庶民の華美な風俗を取り締まるとともに、学問・思想の統制にも力を入れ、寛政異学の禁によって、林家の私塾における陽明学以外の学派の講義を禁止した。

5 老中の水野忠邦は、人返し令を出して江戸に流入した農民の帰村を強制し、上知令により地主から土地を没収して小作人に分け与えるなど、農村の安定と復興による幕府財政の立て直しを図った。

| 重要度 | | 解答時間 | 3分 | 正解 | 3 |

解説 田沼意次（たぬまおきつぐ）は、農民の年貢増徴に限界を感じていたので、商人に目を向け、幕府の財政再建をめざした。

✕① 新井白石は、貨幣を改鋳して良質の金銀に戻し、信用を高めた。また、白石の出した海舶互市新例（かいはくごししんれい）は、貿易を制限して金銀の流出を防ごうとするもの。

✕② 検見取法（検見法）（けみとりほう けみほう）はその年の豊凶によって年貢の租率を定めたもの。徳川吉宗が行ったのは、過去数年間の収穫高を基準に年貢を定める定免法である。

○③ 田沼は農民ではなく、町人からの収入で幕府の財政を立て直すことを考えた。一面では不正や賄賂を横行させた。

✕④ 松平定信の行った寛政異学の禁とは、朱子学を儒学の正学とし、朱子学以外の講義を禁じたもの。

✕⑤ 水野忠邦の出した上知令とは、江戸や大坂周辺の私領を幕府直轄地にして、幕府の収入増加と権力の強化を狙ったものであった。

ポイントはココ！

●徳川吉宗の享保の改革について把握しよう

享保の改革―最大の目的は、**幕府の財政再建**

• **上米**（あげまい）…大名から一時的に米を出させる。かわりに参勤交代の負担を軽減

• **新田開発**…町人に請け負わせ、産業を奨励、一定額の年貢を納めさせる

• **目安箱**…広く庶民の意見を聞くため投書箱を置く→小石川養生所設置

• **公事方御定書**（くじがたおさだめがき）…公平な裁判のための法律。江戸の町奉行に大岡忠相（おおおかただすけ）を登用

• **殖産興業**…カンショ、チョウセンニンジンなどの栽培を奨励

＊享保の改革は一応の成果を上げた。しかし、年貢が増加したため、農民の生活を圧迫→不満は解消できず、百姓一揆が次第に増加

1 　朝鮮で起こった甲午農民戦争（東学党の乱）の際、出兵した日清両国が朝鮮の内政改革をめぐって対立を深め、日清戦争がはじまった。

2 　日清戦争で清を破った日本は、下関条約によって朝鮮、遼東半島、香港の割譲や賠償金２億両の支払などを清に認めさせた。

3 　日清戦争後、日本はロシア、フランス、イギリスの三国から遼東半島の返還を要求され、やむなくこれを承諾した。

4 　清で起こった義和団事件（北清事変）を機にロシアが満州を占領すると、危機感を強めた日本はアメリカと同盟を結んで、ロシアとの開戦準備を進めた。

5 　日露戦争ではイギリスが講和条約を斡旋し、両国間にポーツマス条約が結ばれたが、日本は賠償金を得ることができなかった。

重要度		解答時間	3分	正解	1

解説 ▶ **日清戦争は、朝鮮半島における支配権をめぐる日本と清との戦いであった。**

○ **1** 富国強兵政策をとっていた当時の日本は、朝鮮半島に勢力を伸ばそうと考え、朝鮮を自国の朝貢国とみなしていた清と対立した。

× **2** 下関条約によって清に割譲を認めさせた地域は、遼東半島と台湾・澎湖諸島。香港はアヘン戦争後、イギリスの植民地になっていた。

× **3** イギリスではなく、ドイツ。満州での勢力拡大をもくろむロシアは、フランス、ドイツを誘い、日本に圧力をかけた（三国干渉）。

× **4** 日本はアメリカではなく、イギリスと同盟を結んだ。当時、イギリスも、アジアにおけるロシアの勢力拡大に危機感を抱いていた。

× **5** 日露戦争の講和を斡旋したのは、アメリカのセオドア＝ローズヴェルト大統領であった。

SECTION **2** 人文科学 **4** 日本史

 ポイントはココ！

●日清戦争と日露戦争について整理しよう

- 日清戦争…1894～95年　朝鮮半島の支配権をめぐる、日本と清との戦争。甲午農民戦争がきっかけ→平壌の戦い、黄海海戦などを経て、近代化にまさる日本軍が優勢→**下関条約**…清は朝鮮の独立の承認、遼東半島と台湾・澎湖諸島の割譲、2億両の賠償金などを認める

- 日露戦争…1904～05年　東アジアへの勢力拡大を進めるロシアと日本の戦争。日本はロシアを警戒する**イギリス**と**日英同盟**を結び、後ろ盾とする→旅順の戦い、日本海海戦などを経て、日本軍が優勢→**ポーツマス条約**…ロシアは朝鮮半島における日本の優越権、旅順・大連の租借権、長春以南の鉄道の譲渡、南樺太の譲渡などを認める

55

① 桂内閣による政治の私物化への批判を契機に、尾崎行雄や犬養毅を中心とした自由民権運動が全国的にひろまった。

② 1914年に始まった第一次世界大戦において、我が国は日英同盟条約と日露協約を理由に、三国同盟の側に立って参戦した。

③ 1923年に発生した関東大震災で当時の東京市と横浜市の大部分が地震と火災により壊滅状態となった。

④ 1925年に普通選挙法が制定されると、満20歳以上の男女に選挙権が認められるようになった。これにより、有権者は一挙に4倍に増加した。

⑤ 義務教育の普及による就学率・識字率の向上から、新聞・雑誌などのマス＝メディアが発達し、とりわけ1925年に開始されたテレビ放送は人気を呼んだ。

| 重要度 | | 解答時間 | **3 分** | 正解 | **3** |

> **解説** 関東大震災の被害総額は当時の金額で60億円以上にのぼり、第一次世界大戦後の不況下にあった日本経済にさらに打撃を与えた。

✕ **1** 自由民権運動ではなく、第一次護憲運動である。立憲国民党の犬養毅と、政友会の尾崎行雄が中心。自由民権運動は明治時代前期、政府に対して民主主義改革を要求した運動で、板垣退助らが中心。

✕ **2** ドイツ、オーストリア、イタリアなどの三国同盟側ではなく、イギリス、フランス、ロシアなどの連合国側に立って、ドイツに宣戦布告した。

○ **3** 1923（大正12）年9月1日、マグニチュード7.9の大地震で、死者・行方不明者合わせて10万5千人以上、全壊・全焼・流出家屋29万戸以上の被害（数値については諸説あり）を出した。

✕ **4** 満25歳以上の男子に選挙権が認められた。有権者が4倍に増加したのは正しい。女子への選挙権は第二次世界大戦後の1945（昭和20）年のこと。

✕ **5** テレビではなく、ラジオ放送が開始された。1925年に東京で、1928年には北海道から九州までの全国放送が開始された。テレビ放送は1953年。

ポイントはココ！

●日本の有権者の増加

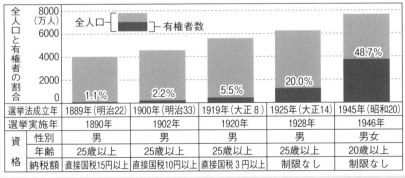

	1889年（明治22）	1900年（明治33）	1919年（大正8）	1925年（大正14）	1945年（昭和20）
選挙法成立年	1889年（明治22）	1900年（明治33）	1919年（大正8）	1925年（大正14）	1945年（昭和20）
選挙実施年	1890年	1902年	1920年	1928年	1946年
資格 性別	男	男	男	男	男女
年齢	25歳以上	25歳以上	25歳以上	25歳以上	20歳以上
納税額	直接国税15円以上	直接国税10円以上	直接国税3円以上	制限なし	制限なし

（総務省選挙部「目で見る投票率」等）

5 世界史

予想 **1** **古代ギリシア、古代ローマに関する記述として、最も妥当なのはどれか。**

1　ホメロスの伝承の中に歴史的事実が隠されていると信じた考古学者のエヴァンズは、19世紀後半、トロヤやミケーネを発掘し、その実在を証明した。

2　ギリシアの都市国家アテネはドーリア人のポリスで、軍国主義的な体制をとっていた。

3　アテネの哲学者ソクラテスはプラトンの弟子であり、『国家論』を著し、哲人による政治を説いた。

4　ローマ共和政は政務官・元老院・平民会の三つの機関からなっていたが、貴族から成り立つ元老院が強大な権力を握っていた。

5　ローマ文化は、法律や暦、建築などの実際的な分野では、ギリシア文化に及ばなかったが、哲学を初めとする学問や、文学・彫刻などの芸術の分野ではギリシア文化をしのいでいたと評価されている。

| 重要度 | | 解答時間 | 3分 | 正解 | 4 |

 解説 ローマ共和政では法案の提出にあたり、政務官は元老院の意向を無視することはできず、元老院が実質的な支配機構となっていた。

✕ 1 エヴァンズでなく、ドイツ人のシュリーマン。エヴァンズはイギリスの考古学者で、クレタ島のクノッソスを発掘。両名は、ギリシアのポリス成立以前に、すぐれた青銅器文明が存在したことを証明した。

✕ 2 アテネではなく、スパルタ。アテネはイオニア人のポリス。紀元前5世紀にアテネとスパルタなどは連合し、ペルシア戦争に勝利した。

✕ 3 設問はプラトンのことをいっている。プラトンはソクラテスの弟子。また、プラトンの弟子がアリストテレス。

◯ 4 元老院はローマ共和政における最高位の立法・諮問機関であり、任期は終身であった。300人の貴族からなり、後年増加された。

✕ 5 ローマ文化は学問や芸術の分野ではギリシア文化に及ばなかったが、法律や暦、建築・都市設計などの方面の独創性が評価されている。

 まとめて チェック！

●古代ギリシアの歴史用語を理解しよう

• ポリス…古代ギリシアの都市国家のこと。ギリシアには1000以上のポリスがあり、政治的には独立していた。アテネ、スパルタなどが代表例。

• アクロポリス…ポリスの中心部にあった丘。城山を意味する。政治的・軍事的拠点であり、ポリスの守護神がまつられる宗教の中心でもあった。パルテノン神殿はアテネのアクロポリスに建てられた、守護神をまつる神殿。

• アゴラ…アクロポリスの下に広がる公共広場。周辺には公共の建造物が建っていた。交易などの経済や日常生活の中心で、集会や裁判も行われた。

• オリンピア…ゼウスの神殿のある地で、ペロポネソス半島北西部に位置する。どこのポリスにも属さず、ギリシア全土からの尊崇を受けた。この地で、ゼウスに捧げる神事である競技会（古代オリンピック）が行われた。

① 中国の戦国時代には、儒家の中から孔子が出て、性善説に基づき、道徳による王道政治を進め、力による政治を覇道として退けた。

② 秦の始皇帝は、紀元前221年に中国を統一、それまでの郡県制を廃止し、封建制を全国にしいた。しかし、たび重なる戦争、万里の長城の修築、宮殿の造営などで民衆を苦しめ、始皇帝の死後起きた反乱を契機に秦は滅亡した。

③ 漢は封建制と郡県制を併用する郡国制をしき、武帝のとき、年号を始めた。また、武帝はこれまでの匈奴に対する消極策を改め、匈奴への攻撃を行った。

④ 隋は科挙を初めて行い、2代皇帝煬帝は1700kmに及ぶ大運河を建設し、中国の北部と南部を結んだ。隋には革新的な政策が多く、200年にわたって中国で繁栄をきわめた。

⑤ 唐の皇帝玄宗は、楊貴妃との愛におぼれ、政治を顧みなかった。そのため、玄宗が即位した直後から、宮廷内では楊貴妃一族が要職を占め、唐の繁栄はゆらぎ始めた。

重要度	☀☀☀	解答時間	3分	正解	3

解説 → 漢の劉邦(りゅうほう)は郡国制をしき、武帝は匈奴(きょうど)を攻撃した。

✕① 設問文は孟子のことをいっている。孔子は春秋時代末期の人。社会秩序の基礎を家族道徳におき、仁を最高の道徳とした。

✕② 封建制を廃止し、郡県制をしいたのが正しい。郡県制は紀元前221年に施行。全国を36郡に分け、郡の下に県をおき、皇帝より任命された官吏が統治した。

○③ 漢の劉邦は、秦が郡県制を強行して早く滅亡したのを教訓に、封建制と郡県制を併用する郡国制をしいた。武帝は郡県の監察を強化し、年号を始め（初の年号は建元(けんげん)）、また匈奴への攻撃も行った。

✕④ 隋には科挙制、大運河建設、均田制など革新的な政策が多かった。しかし、3度にわたる朝鮮半島の高句麗(こうくり)遠征に失敗し、各地で反乱が起き、わずか2代38年で滅びた。

✕⑤ 楊貴妃を寵愛して政治を乱したのは晩年のこと。玄宗は即位すると政治を引き締め、統治の前半は開元の治とよばれる平和と繁栄の時代であった。

 まとめて チェック！

●中国の秦～唐までの王朝の興亡について年表で整理しよう

紀元前221年	秦が中国統一（中国初の統一国家）→始皇帝。3代15年で滅亡
202年	劉邦が項羽を破り、漢王朝をひらく。武帝のとき最盛期
紀元 8年	前漢滅びる　紀元25年、後漢おこる→光武帝
220年	後漢滅び、三国時代→魏・呉・蜀。その後も群雄割拠
581年	隋が中国を統一。煬帝(ようだい)が大運河建設。618年、煬帝が殺され、滅亡
618年	唐が中国を統一。玄宗の開元の治→その後衰え、907年に滅亡

1　宋は、混乱した中国を統一するため、文人官僚による政治ではなく軍人による統治を行った。

2　宋は、官吏登用法の中心として新たに科挙を開始し、殿試によって、君主と官僚のあいだのつながりを強調した。

3　宋の時代には、形勢戸と呼ばれる経済力のある新興地主層の人びとが、貴族にかわり新しく勢力を伸ばした。

4　宋の時代には貨幣経済が発展し、銅銭のほか金銀も地金のまま用いられたが、紙幣はまだ用いられなかった。

5　宋の時代には都市商業の繁栄を背景に官僚文化が発展し、この官僚層によって全真教が道教の革新をとなえておこった。

重要度		解答時間	3分	正解	3

解説 形勢戸とは、宋の時代に勢力を伸ばした、地方の新興有力地主層のことをいう。

✕ **1** 宋の前の五代十国の時代は、武人の力が強かったが、宋は文人官僚を重視する文治主義に切りかえた。

✕ **2** 殿試は科挙の最終試験を皇帝がみずから行うもので、これにより君主独裁制を推進しようというねらいがあった。

◯ **3** 形勢戸は宋の時代の実力者層で、一般の農民とは区別された。形勢戸から官僚になる者も多かった。

✕ **4** 宋の時代には、交子という世界初の紙幣が政府により発行されている。

✕ **5** 全真教は、宋ではなく、金で成立した道教の一派である。

 ポイントはココ！

●宋の時代の文化について整理しよう

- **思想**　朱熹が宋学を大成→朱子学→後世に大きな影響
- **宗教**　仏教…禅宗や浄土宗が広まる。道教…金に全真教がおこる
- **文芸**　文学…欧陽脩が古文復興運動を継承
　　　　歴史…司馬光による『資治通鑑』→戦国時代から五代末までの正確な編年史
- **絵画**　院体画…宮廷の画院中心→写実主義、徽宗
　　　　文人画…水墨画が中心→精神を表現
- **技術**　陶磁器…景徳鎮における青磁・白磁
- **四大発明を発展**　中国の四大発明といわれる紙、磁針、火薬、印刷術をそれぞれ発展させた

SECTION **2** 人文科学 **5** 世界史

15～17世紀のヨーロッパ諸国の世界進出に関する記述として、最も妥当なのはどれか。

① 1492年、スペインの援助を受けたコロンブスの艦隊は、アフリカ南端の喜望峰に達して、海路でインドに行けることを明らかにした。

② 17世紀になると、オランダはインドネシアを拠点に東インド会社を設立するなどして、東アジアでの貿易の実権を握った。

③ 宗教改革に対抗するために結成されたプロテスタント系のイエズス会は、アジアでの布教を積極的に行い、1549年にはザビエルが日本に到着した。

④ イギリスはスペインの無敵艦隊に勝利し、その領土であったインドやオーストラリアを植民地として世界中に領土を広げ、「日の沈まない帝国」といわれた。

⑤ 16世紀前半にポルトガルはアメリカ大陸に進出し、インカ帝国やアステカ文明などを武力で征服し、これらを滅ぼした。

| 重要度 | 〜〜〜 | 〜〜〜 | 〜〜〜 | 解答時間 | 3分 | 正解 | 2 |

 解説 　1602年、オランダはインドネシアのジャワなどを拠点とする東イ
ンド会社を設立、香辛料などの貿易を独占した。

✕ 1 コロンブスはスペイン女王イサベルの援助を受け、1492年、スペイン
を出航、西回りで大西洋を横断して西インド諸島へ到達した。

○ 2 イギリスはオランダより2年前の1600年に東インド会社を設立。東イ
ンド会社はアジア進出、植民地支配の中心となった。

✕ 3 イエズス会はカトリック系。従来のカトリック教会を批判し、脱却す
る一連の運動を宗教改革といい、新教（プロテスタント）が成立。カ
トリック側も自己革新運動を行い、これを対抗（反）宗教改革と呼ぶ。

✕ 4 インドやオーストラリアはスペインの植民地ではない。「日の沈まな
い帝国」といわれたのはスペインである。

✕ 5 スペインのこと。スペインは探検隊に続いて、コルテスをアステカ帝
国に、ピサロをインカ帝国に送り、これらの地域を征服した。

まとめて チェック！

●大航海時代の主な人物

- **バルトロメウ＝ディアス**…ポルトガルの航海者。暴風で流され、アフリカ
  （バーソロミュー）　　　　　　　大陸南端の現在の喜望峰を発見。

- **ヴァスコ＝ダ＝ガマ**…ポルトガルの航海者。喜望峰、アフリカ東岸を経由
  　　　　　　　　　　　　し、インドのカリカットに至る。**インド航路**を開拓。

- **コロンブス**…イタリア・ジェノバの航海者。スペイン女王イサベルの援助
  　　　　　　　で西回りのアジア航路開拓に乗り出し、**西インド諸島へ到達**。

- **アメリゴ＝ヴェスプッチ**…イタリア・フィレンツェの航海者。4回にわた
  　　　　　　　　　　　　　り新大陸を探検。「アメリカ」は彼の名にちなむ。

- **マゼラン**…ポルトガルの航海者。大西洋、太平洋を横断、マゼラン（マガ
  （マガリャンイス）　リャンイス）海峡を発見。死後、部下がスペインに帰国し、初
  　　　　　　　　　の**世界周航**を達成。

① この会議は、オーストリア外相メッテルニヒが議長として、対立する各国の利害を調整したが、基本的には列強間の合意によって決定された。

② この会議は、フランス革命・ナポレオン戦争の戦後処理のため、オスマン帝国も含め全ヨーロッパの支配者が参加した国際会議である。

③ この会議でフランス外相タレーランは、正統主義を唱えフランス革命前の王朝と旧制度の復活を目指したが、各国の反対もあり実現できなかった。

④ この会議によってドイツ地域は、神聖ローマ帝国を中心とした復興政策が決定し、プロイセンやオーストリアは権限を弱めていった。

⑤ この会議以降の国際体制をウィーン体制と呼び、イギリスが中心となって積極的な自由主義とナショナリズムの拡大を進めていった。

| 重要度 | | 解答時間 | 3分 | 正解 | 1 |

解説 ➡ **ウィーン会議（1814～15年）は、フランス革命・ナポレオン戦争の戦後処理のための国際会議である。**

○ **1** 会議では領土問題をめぐって紛糾したが、1815年のナポレオンの再起に驚いて、ようやく妥協が成立した。

✕ **2** オスマン帝国以外の当時の全ヨーロッパ諸国が参加した。

✕ **3** フランスでは革命前のブルボン朝が復活した。ただし、革命によってもたらされた市民の自由の権利などを否定することはできなかった。

✕ **4** プロイセン、オーストリアは、ロシア、イギリスとともに四国同盟をつくり、ウィーン体制を成立させるなど権限を強めた。

✕ **5** ウィーン体制は自由主義とナショナリズムの拡大を進めたものではない。四国同盟などによる、列強間の勢力均衡と革命勢力の復活防止が目的であった。

 ポイントはココ！

●ウィーン体制について整理しよう

- ウィーン体制とは…ヨーロッパに秩序を回復し、フランス革命以前の状態への復帰を目指す**国際的反動体制**
- 目的…各国間の**勢力均衡**と**革命の再発防止**
- 成立過程…**ウィーン会議**を中心に、その後の**神聖同盟**、**四国同盟**、**五国同盟**などによって成立
- 問題点…列強の利害が優先された。立憲政治を目指す**自由主義**や、民族自決を要求する**民族主義**の台頭によって体制は動揺
- 結末…1848年の**フランス二月革命**により崩壊

19世紀ヨーロッパ再編に関する記述の　A　から　D　に入る語句の組み合わせとして、最も妥当なのはどれか。

　　A　がギリシア正教徒の保護を理由にオスマン帝国に侵入してはじまった　B　は、　C　が戦いに加わったことで、ヨーロッパの有力国同士の戦争となった。この戦争の結果、黒海の中立化が約束されて　A　の　D　は失敗した。

	A	B	C	D
1	ロシア	クリミア戦争	イギリス・フランス	３Ｂ政策
2	ロシア	クリミア戦争	イギリス・フランス	南下政策
3	ロシア	バルカン戦争	ドイツ・イタリア	南下政策
4	インド	バルカン戦争	ドイツ・イタリア	南下政策
5	インド	バルカン戦争	スペイン・ポルトガル	３Ｂ政策

重要度				解答時間	3分	正解	2

 解説 → クリミア戦争は、南下政策を進めるロシアがトルコと開戦し、ロシアを警戒する英仏がトルコ側について参戦したもの。

- **クリミア戦争**…1853〜56年。1853年、ロシアはトルコ（オスマン帝国）内のギリシア正教徒の保護を名目にトルコと戦争を始めた。54年にイギリス・フランスが、55年にはイタリアのサルディニア王国がロシアと開戦。ロシアは敗北し、黒海に海軍を置く権利を失った。
- **南下政策**…北方に位置するロシアが、温暖な国土、不凍港などを求めてたびたび掲げた、自国より南の他国の領土を征服しようとする政策。クリミア戦争、日露戦争、第一次世界大戦などの主な原因となった。
- **バルカン戦争(第1次)**…1912年10月〜13年5月。ロシア、およびセルビアなどバルカン半島諸国が同盟したバルカン同盟とトルコとの戦争。トルコが敗北。第2次バルカン戦争は、第1次バルカン戦争の結果、領土を過大に得たブルガリアに他のバルカン諸国が反発。ブルガリアが大敗した戦争。
- **3B政策**…ドイツによる帝国主義政策。ベルリン、ビザンティウム（イスタンブールの旧名）、バグダッドの都市を鉄道で結び、イギリスの3C政策（カイロ、ケープタウン、カルカッタを結ぶ地域を勢力下に）に対抗。

まとめて チェック！

●19世紀後半の帝国主義時代のヨーロッパのできごとを整理しよう

- **イタリアの統一**…イタリアは小国に分裂していたが、**サルディニア国王ヴィットーリオ・エマヌエーレ2世**が**イタリア統一戦争**などを経て全国を統一、1861年、**イタリア王国**が成立した。
- **ドイツの統一**…**プロイセンの首相ビスマルク**はドイツ統一を目指し、軍備の拡張に努めた。プロイセンは普墺(ふおう)戦争、普仏(ふふつ)戦争などで勝利、1871年、プロイセン王**ヴィルヘルム1世**がドイツ皇帝につき、**ドイツ帝国**が成立した。

過去 **1** **地形に関する記述として、最も妥当なのはどれか。**

❶ 扇状地は、扇頂・扇央・扇端の区別があるが、このうち、最も水の便が良いのは扇央であり、水田や集落がよくみられる。

❷ 氾濫原は、主に河川の中流部にみられ、後背湿地と呼ばれる微高地には集落が形成されやすい。

❸ 三角州は、エスチュアリーとも呼ばれ、主に河川の下流部でみられるが、地盤が軟弱であり、都市は形成されない。

❹ フィヨルドは、氷河が削ったV字谷に海水が入って形成された地形であり、北半球でのみみられる。

❺ カルスト地形は、石灰岩地域が水の溶食によって作られたものであり、ドリーネや鍾乳洞などがみられる。

| 重要度 | | 解答時間 | 3分 | 正解 | 5 |

解説 石灰岩台地は雨水や地下水によって溶食され、さまざまな地形ができる。

✕ **1** 水が豊富なのは谷口部分の扇頂である。扇央は砂れきで構成され、地下水面が深く、農耕に不適だが、灌漑により果樹園や桑畑になることがある。扇端は水田や集落がみられ、経済活動がさかん。

✕ **2** 自然堤防は微高地で集落が形成されやすい。後背湿地とは、自然堤防の背後にみられる浅い窪地状の湿地のこと。

✕ **3** 三角州はデルタとも呼ばれ、多くの都市が形成されている。エスチュアリーは三角江とも呼ばれ、河口が海に向かってラッパ状に開いた地形。

✕ **4** フィヨルドはV字谷ではなく、U字谷が特徴。南アメリカのチリ南部など南半球にも存在する。

◯ **5** 現在のスロベニアにある石灰岩地域のカルスト地方が語源。日本では山口県の秋吉台が有名である。

 まとめて チェック！

●地形に関する主な用語を整理しよう

- **谷　口**…河川が山間部から平野部に出る地点。ここを頂点として扇状地が広がる。
- **氾濫原**…河川の両側にある低地。洪水がおこると川からあふれた水により冠水する。日本では水田地帯になることが多い。
- **三角州**…河川の河口に形成される低湿な平地。河川が運んできた砂や粘土などが堆積し、平面的に三角形になっている。
- **ドリーネ**…カルスト地形にみられるすり鉢状の窪地。直径20m程度のものが多い。日本では秋吉台で多く見られる。

エネルギー資源・鉱物資源に関する記述として、最も妥当なのはどれか。

1 石炭は、20世紀前半までは主要工業国の最大のエネルギー源であったが、埋蔵量ならびに可採年数は、エネルギー資源の中で最も少ない。

2 原油は、埋蔵量の約50パーセントがペルシャ湾岸の西アジアに集中しているが、それ以外の地域でも産出され、このうちアメリカ合衆国は世界有数の輸出国である。

3 天然ガスは、二酸化炭素の排出量が少ないクリーンなエネルギーとして注目されているが、長距離の輸送が技術的に困難であり、産出国でのみ消費されている。

4 ブラジル、オーストラリアは、世界有数の鉄鉱産出国であり、世界の鉄鉱輸出量の過半を占める。

5 メキシコは銅鉱の産出が世界第1位であり、チュキカマタ銅山やエルテニエンテ銅山などで生産されている。

重要度	〇 〇 〇	解答時間	3分	正解	4

解説 ▶ **世界の三大鉄鉱石産出国は、オーストラリア、ブラジル、中国。**

✕ **1** 石炭は埋蔵量が豊富で、可採年数は世界計約139年（エネルギー白書2024）で、原油の世界計約50年を上回っている。石炭は、石油の代替エネルギーとして再評価されている。

✕ **2** 原油の確認埋蔵量の約半分はペルシャ湾岸の中東地域であるというのは正しい。しかし、アメリカ合衆国は近年、シェール原油の産出もあるが、国内需要が多いので、世界有数の輸出国とはいえない。

✕ **3** 日本は天然ガスを液化天然ガスの形で海外から輸入している。

◯ **4** 2021年の生産量はオーストラリア、ブラジル、中国の3か国で世界全体の70%近くになる。

✕ **5** メキシコではなく、チリである。2020年の銅鉱産出高世界第1位はチリ、第2位がペルー、第3位が中国である。

ポイントはココ！

●日本の主なエネルギー・鉱物資源の輸入先について整理しよう

- **石炭**…オーストラリア64.2%　インドネシア15.5%　カナダ7.5%
  アメリカ合衆国6.9%　ロシア2.1%　　　　　　　　　　　（2023年）
- **原油**…サウジアラビア40.8%　アラブ首長国連邦39.4%　クウェート9.0%
  カタール4.9%　　　　　　　　　　　　　　　　　　　（2023年）
- **液化天然ガス**…オーストラリア41.6%　マレーシア15.6%　ロシア9.3%
  アメリカ合衆国8.4%　パプアニューギニア5.8%　（2023年）
- **鉄鉱石**…オーストラリア60.2%　ブラジル28.0%　カナダ5.9%
  南アフリカ共和国2.9%　アメリカ合衆国1.0%　　　　（2022年）

（「2024/25年版 日本国勢図会」）

次のア～オの地図記号の名称が正しい組合せとして、最も妥当なのはどれか。

	ア	イ	ウ	エ	オ
1	裁判所	市役所	消防署	工場	高等学校
2	裁判所	市役所	工場	消防署	高等学校
3	裁判所	高等学校	消防署	工場	市役所
4	工場	高等学校	裁判所	消防署	市役所
5	工場	高等学校	消防署	市役所	裁判所

重要度				解答時間	**3分**	正解	**4**

> **解説** 国土地理院の定める地図記号は、同院発行の地形図をはじめ、多くの地図に利用されている。記号と名称が一致するよう把握しておこう。

ア　工場（　☼　）…工場で使われている機械の歯車の形を記号化。敷地が125m×125m以上の工場は名前で表すこともあり、記号は表示しない。

イ　高等学校（　⊗　）…漢字の「文」を記号にしたもので、小学校、中学校と区別するために、○で囲んでいる。

ウ　裁判所（　⚖　）…昔、裁判所は国民に立て札を立てて告示したことから、立て札を記号化。この記号は、高等裁判所、地方裁判所、家庭裁判所、簡易裁判所を表す。最高裁判所は名前で表し、この記号では表示しない。

エ　消防署（　Ｙ　）…昔、火消しが使っていた「さすまた」の形を記号化。消防署の支所、出張所、分遣所もこの記号で表示。

オ　市役所（　◎　）…全国の市役所と東京23区の区役所を表している。支所や出張所には使われない。なお、都道府県庁の記号（　◎　）は、20万分1地勢図などで使われる。

まとめて チェック！

●主な建物記号

町村役場

税務署

保健所

神社

寺院

交番

警察署

郵便局　　　小・中学校

発電所等　　　病院

図書館　　　博物館

老人ホーム

※国土地理院では、外国人向け地図記号を決定している。2つの記号が併記されているものは右側。

1 日本列島は、ユーラシア大陸の西岸に位置する弧状列島であり、環太平洋造山帯の一部であるが、プレートの境界から遠いため地殻は安定している。

2 日本列島は、全体としてみれば沈降傾向にあり、丘陵を含む山地は全国土の約2分の1だが、沈降による地殻の振動が地震となり、大きな被害が発生することがある。

3 日本では火山活動が活発で、火山の噴火による溶岩の流出や大量の火山灰による被害が発生するが、火山地域では、温泉や地熱発電の利用も見られる。

4 日本の本州中部には、中央構造線と呼ばれる南北に縦断するプレート境界があり、この構造線の東側はとくに隆起が激しく、日本アルプスが形成されている。

5 西南日本は、糸魚川－静岡構造線の西側にあり、フォッサマグナと呼ばれる大陥没帯になっているため、深いV字谷が多くみられる。

重要度	☆☆☆	解答時間	3分	正解	3

解説 日本は火山活動による被害が多いが、半面、温泉があり、近年は地熱発電にも利用されている。

× **1** 日本列島はユーラシア大陸の東岸にありプレートの境界上に位置していて、そのため地殻は不安定である。

× **2** 日本列島は約4分の3が山地であるといわれている。日本列島が乗っているプレートのずれが、大地震の原因となることが多い。

○ **3** 日本のように火山活動が活発な地域は、深刻な被害をこうむることもあるが、半面、温泉などの恩恵もある。また、日本では火山の多い東北地方や九州地方に地熱発電所が多い。

× **4** 日本の本州中部には、フォッサマグナがあり、その西側に、飛騨山脈、木曽山脈、赤石山脈からなる日本アルプスが形成されている。

× **5** フォッサマグナは地質構造上、日本列島を東北日本と西南日本に分ける地溝帯（陥没帯）。V字谷は河川が山地を侵食して形成する谷のことで、フォッサマグナによるものではない。

ポイントはココ！

●日本の地形の構造について整理しよう

- 千島・カムチャツカ海溝、日本海溝、伊豆・小笠原海溝＝太平洋プレートが北米プレート、フィリピン海プレートの下に沈み込む所。
- 南海トラフ、南西諸島海溝＝フィリピン海プレートがユーラシアプレートの下に沈み込む所。

世界の気候に関する記述として、最も妥当なのはどれか。

① 中緯度高圧帯から赤道低圧帯に向かって吹く風を偏西風という。

② 乾燥帯に属する気候には、砂漠気候とサバナ気候の２つがある。

③ １年のうちの、最高気温と、最低気温の差を年気温差という。

④ 気温は、太陽からのエネルギーを多く受ける低緯度ほど高くなる。

⑤ 風は、気圧が低いところから高いところへ向かっていく。

| 重要度 | | 解答時間 | **2分** | 正解 | **4** |

> **解説** 緯度の低い赤道付近では、一定の地点に当たる太陽光の熱エネルギーが多いため、一年中気温が高い。

✕ ① 貿易風という。地球の自転の影響で、北半球では北東からの風の北東貿易風、南半球では南東からの風の南東貿易風になる。偏西風は中緯度高圧帯から亜寒帯低圧帯へと吹く風。

✕ ② 乾燥帯には、砂漠気候とステップ気候がある。砂漠気候は雨がほとんど降らない。ステップ気候は砂漠気候よりは降水量が多く、丈の短いステップと呼ばれる草原が広がる。熱帯には、大別すると熱帯雨林気候とサバナ気候がある。

✕ ③ 年較差という。1年のうち最暖月と最寒月の平均気温の差をいう。赤道付近では小さく、高緯度地方や内陸部で大きい。

◯ ④ 太陽の熱の量は緯度にかかわらず一定だが、高緯度地方は低緯度地方よりも広い範囲に光が当たる。このため、高緯度地方のある地点にとどく熱の量は、低緯度地方よりも少なくなり、気温が上がらない。

✕ ⑤ 風は気圧の高いところから、気圧の低いところへ向かって吹く。中緯度高圧帯→赤道低圧帯、亜寒帯低圧帯。極高圧帯→亜寒帯低圧帯。

まとめて チェック！

●ケッペンによる気候の分類

熱　帯（A）	熱帯雨林気候区 （Af、Am）	年中多雨または 弱い乾季あり	最寒月 −3℃未満 **亜寒帯（D）** （冷帯）	亜寒帯湿潤気候 区（Df）	年中多雨
最寒月 18℃	サバナ気候区 （Aw）	強い乾季あり	最暖月 10℃	亜寒帯冬季少雨気候 区（Dw）	冬に少雨
温　帯（C）	温暖冬季少雨気候 区（Cw）	冬に少雨	寒　帯（E）	ツンドラ気候区 （ET）	最暖月の平均気 温0〜10℃
	地中海性気候区 （Cs）	夏に少雨		氷雪気候区 （EF）	最暖月の平均気 温0℃未満
	温暖湿潤気候区 （Cfa）	年中多雨 夏は高温	乾燥帯（B）	砂漠気候区 （BW）	年降水量きわめ て少ない
最寒月 −3℃	西岸海洋性気候 区（Cfb、Cfc）	年中多雨 夏は冷涼	降水量＜蒸発量	ステップ気候区 （BS）	年降水量少ない

6 AからCはある国の形を示している。その国と、その国のある地域の組み合わせとして、最も妥当なのはどれか。ただし、地図の縮尺は国によって異なる。

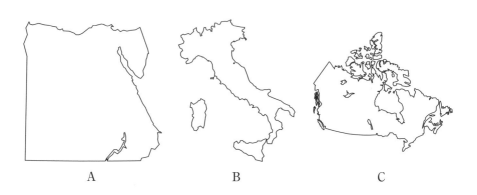

	A	B	C
1	アジア	ヨーロッパ	北アメリカ
2	アジア	北アメリカ	アフリカ
3	アフリカ	ヨーロッパ	北アメリカ
4	アフリカ	北アメリカ	アジア
5	北アメリカ	ヨーロッパ	アフリカ

重要度		解答時間	2分	正解	3

解説 主な国の大まかな国土の形を把握しておきたい。また、それらの国がどの地域に属しているのかも知っておこう。

A　エジプト…北東端のシナイ半島、西端と南端の直線で引かれた人為的国境が特徴となる。また、エジプトはアフリカの北東端に位置している。文化的にはイスラム圏で、アラブ諸国の中心的存在である。

B　イタリア…北西から南東にかけて細長く伸びるイタリア半島が特徴。「長靴」の形をしているともいわれる。イタリア半島に近い島がシチリア島、その北西にあるのがサルデーニャ島。ヨーロッパに属する。

C　カナダ…北極圏にある多くの島々、南端のアメリカ合衆国との境となる北緯49度の水平な国境線、広大なハドソン湾が入り込んでいることなどから、カナダと判断できる。北アメリカに属する。

ポイントはココ！

●主な国の国土の形

• **中国**
（アジア）
世界屈指の人口と、広大な領土をもつアジアの大国。

• **アメリカ合衆国**
（北アメリカ）
北端の国境線は、カナダとの境界で北緯49度線になる。北西の飛び地は、アラスカ州。

アラスカ州
北緯49度線

•**インド**（アジア）
三角形をした**インド半島**が、南へ突き出ている。デカン高原が広がる。

• **オーストラリア**
（オセアニア）
南半球にある**オーストラリア大陸**で、大陸全体が１つの国になっている。

7 倫理

予想 **1** 哲学者に関する記述として、最も妥当なのはどれか。

❶ デカルトは17世紀に活躍したフランスの哲学者で、「人間は考える葦である」という有名な言葉を残した。

❷ パスカルは17世紀のドイツの哲学者で、「われ思う、ゆえにわれあり」の言葉でも知られる。

❸ カントは18世紀のドイツの哲学者で、人倫の形態は、家族→市民社会→国家という段階を経て、弁証法的に発展すると説いた。

❹ ソクラテスは古代ギリシアの哲学者で、人間は「無知の知」によって、初めて善悪の見分けがつくようになると説いた。

❺ アリストテレスは古代ギリシアの哲学者で、4つのイドラ（種族・洞窟・市場・劇場）の排除を説き、帰納法を打ち立てた。

重要度		解答時間	2分	正解	4

 解説 ソクラテスは、人は自らの無知を自覚してこそ、善悪の判断ができるようになると説いた。

✕ **1** デカルトが残した有名な言葉は、「われ思う、ゆえにわれあり」である。

✕ **2** パスカルはフランスの哲学者で、彼が残した有名な言葉は、「人間は考える葦である」。

✕ **3** カントはイギリス経験論と大陸合理論を批判的に統合し、ドイツ観念論をつくった。設問文の内容は、同じドイツの哲学者の、ヘーゲルの思想。

◯ **4** ソクラテスは、人間がいかに生きるべきかを思索の対象とした最初の哲学者である。

✕ **5** アリストテレスはプラトンの弟子で、過剰は不足と同様に悪いものであるとし、人間の中庸の大切さを説いた。4つのイドラの排除と帰納法を説いたのは、16～17世紀のイギリスの哲学者ベーコンである。

 ポイントはココ！

●哲学者の残した言葉の意味を理解しよう

- **無知の知（ソクラテス）**
  人間は己の無知を自覚し、何が本当に大切かという知を求めて、初めて善悪の判断が身につき、正しい生き方も実践できる。
- **われ思う、ゆえにわれあり（デカルト）**
  あらゆるものを疑っても、それを疑っている私の意識と精神の存在は否定できない。
- **人間は考える葦である（パスカル）**
  人間は宇宙に比べれば、無に等しい一本の葦に過ぎない。しかし、それは考える葦であり、そこに人間の尊厳がある。

① はじめから社会があり、支配者あるいは国家によって与えられる権利のことを、自然権という。

② 『社会契約論』を著し、人民によって形成される一般意思に基づく直接民主制を主張したのはホッブズである。

③ 『統治二論』を著し、人民には抵抗権があるとし、議会が最高権限をもつことを主張し、議会制政治を擁護したのはロックである。

④ 『リバイアサン』を著し、自然状態は「万人の万人に対する闘争」の状態におかれるので、自然権を国家に譲渡すべきと主張したのはルソーである。

⑤ 『法の精神』を著し、国家権力を立法権と執行権の二つに分ける権力分立を唱えたのはモンテスキューである。

| 重要度 | | 解答時間 | 2分 | 正解 | 3 |

 解説 ロックは為政者が人民（国民）の財産権や幸福の保障などを侵害した場合、人民はその圧政に対する抵抗権をもつとした。

✕ **1** 自然権は、いつの時代でも、どこにあっても認められるべき、人間の自己の生命・身体の保持や自由・平等の権利のことである。

✕ **2** ホッブズではなく、ルソー（1712〜78年）である。ルソーの『社会契約論』は、人民主権（主権国民）を徹底した直接民主制を主張し、フランス革命、その後の民主主義にも大きな影響を与えた。

◯ **3** 国家が人民との社会契約で成立するという点では、ロック（1632〜1704年）はホッブズと同じだが、人民は抵抗権を有するという点で異なる。

✕ **4** 『リバイアサン』の著者はホッブズ（1588〜1679年）。個人が相互の権利を守るために社会契約を結ぶことにより、国家が成立すると考えた。「リバイアサン」は旧約聖書の中に登場する巨大な海の怪物の名前。

✕ **5** 『法の精神』の著者がモンテスキュー（1689〜1755年）であるのは正しいが、彼は著書の中で三権分立を説いた。

まとめて チェック！

●**用語を理解しよう**

• **社会契約説**…17〜18世紀にイギリス、フランスで起こった政治思想。人民は各自の生命、身体、財産等の保護のために相互に社会契約を結ぶことにより社会（国家）が成立。人民は社会契約によって、自らのもつ自然権を君主や議会に委ねるのであるから、委ねられた側は人民の権利を守る義務があるとする。ホッブズ、ロック、ルソー等が主張した。

• **三権分立**…国家権力を立法権、行政権（執行権）、司法権の3つに分け、互いに抑制し合ってバランスを保ち、政治を行っていこうとする方法。**立法権は議会（国会）、行政権は内閣、司法権は裁判所**が有する。モンテスキューの『法の精神』において展開された三権分立論は、フランス革命の思想的支柱となり、アメリカの独立革命で実現された。

1　孔子の儒教思想を受け継いだ孟子は、人は自然のままでは欲望に走り、社会の調和を保つことができないので、礼に従って秩序を守るべきであるとする性悪説を唱えた。

2　老子や荘子は、人は自然に従い、これと一体になって、無為自然に生きるべきであると説き、後の朱子学、陽明学に影響を与えた。

3　仏教は古代インドのバラモン教を母体とした宗教であったが、次第にバラモン教の固定化した秩序などに批判的となり、慈悲の心を説くようになった。

4　イスラム教（イスラーム）はユダヤ教やキリスト教と深い関係をもつ。イスラム教徒（ムスリム）は唯一神アッラーを信仰し、教典コーランの教えにしたがって生活する。

5　キリスト教は神への愛と隣人愛を説くものであり、ヤハウェ（ヤーヴェ）を唯一の神とするユダヤ教とはまったく関係がない。

重要度	🔔🔔🔔	解答時間	3分	正解	4

解説 ▶ **イスラム教は、唯一絶対神アッラーの教えに従い生活する宗教。**

✕ **1** この説を唱えたのは荀子。孟子は、人は生まれながらに善の心をもっているとする性善説を唱えた。

✕ **2** 朱子学、陽明学はともに儒教の一派である。宋（南宋）の時代に朱熹が朱子学を、明の時代に王陽明が陽明学を開いた。

✕ **3** バラモン教を母体としたのは、ヒンズー教である。ヒンズー教はカースト制度という階級制度を守っている。

◯ **4** イスラム教（イスラーム）を開いた預言者ムハンマドは、ユダヤ教やキリスト教の影響も受けながら、独自の教えを開いた。

✕ **5** キリスト教はユダヤ教を母体にしている。「旧約聖書」はユダヤ教の教典である。

ポイントはココ！

●三大宗教について理解しよう

- **キリスト教**…無差別の愛、無償の愛、永遠の愛、神の前での平等を説く。
  - **カトリック（旧教）**…南・東ヨーロッパ、中・南アメリカ
  - **プロテスタント（新教）**…西・北ヨーロッパ、北アメリカ
  - **ギリシア正教**…ロシア、ギリシア、東ヨーロッパ

- **仏　教**………生きているものすべてに対して、差別なく慈悲の心をもつことを説く。
  - **大乗仏教**…日本、中国、韓国
  - **上座部仏教**…タイなどの東南アジア

- **イスラム教(イスラーム)**…信仰告白、礼拝、断食、喜捨、メッカへの巡礼などを行う。
  - **スンナ派**…西・中央アジア、北アフリカ、インドネシア、マレーシア
  - **シーア派**…イラン、イラク(シーア派：約6割、スンナ派：約3割)

明治・大正時代の日本の思想家に関する記述として、最も妥当なの はどれか。

① 福沢諭吉は、『学問のすゝめ』を出版し、「天は人の上に人をつくらず、人の 下に人をつくらず」として、人間の平等を説き、「東洋のルソー」と称された。

② 中江兆民は、モンテスキューの『法の精神』を翻訳し、民衆本位の政治が行 われなければならないことを主張した。

③ 内村鑑三は、キリスト教の洗礼を受け、イエス＝キリスト（Jesus）と日本 （Japan）という２つのJに生涯を捧げることを誓った。

④ 西田幾多郎は、大正デモクラシーに最も大きな影響を与えた思想家で、国家 の活動の目標は、人民の利益と幸福にあるという民本主義を唱えた。

⑤ 与謝野晶子は、雑誌「青鞜」を創刊し、「元始、女性は実に太陽であった」 から始まる「青鞜」発刊の言葉は、女性解放運動のよりどころとなった。

重要度	☀ ☀ ☀	解答時間	3分	正解	3

解説 ➡ **内村鑑三は2つのJ（イエス＝キリストと日本）に生涯を捧げた。**

✕ ① 「東洋のルソー」と称されたのは中江兆民である。福沢諭吉は独立自尊の精神を説いた啓蒙思想家で、慶應義塾大学の創設者としても知られる。

✕ ② 中江兆民が翻訳したのは、ルソーの『社会契約論』であり、日本での書名は『民約訳解』といった。ルソーはフランス革命や後の民主主義思想に大きな影響を与えた啓蒙思想家。

◯ ③ 内村鑑三は、キリスト教会を偽善的として無教会主義を貫き、日露戦争には反対する平和主義者であった。

✕ ④ 吉野作造についての記述である。西田幾多郎は、西洋哲学と東洋文化をともに吸収し、純粋経験こそ真の実在であると説いた。

✕ ⑤ 与謝野晶子ではなく、平塚らいてう（らいちょう）。与謝野晶子は歌人で、日露戦争に出征した弟の身を案じる「君死にたまふこと勿れ」を詠んだ。

まとめてチェック！

●近代日本の思想家について整理しよう

- **啓蒙思想**…明治維新後、明六社に集まった知識人たち→福沢諭吉、森有礼

- **自由民権思想**…民撰議院設立建白書の提出より始まり、主権在民を説く→中江兆民、植木枝盛

- **伝統主義思想**…明治政府の欧化政策への反発、日本の伝統を重視→徳富蘇峰、三宅雪嶺、高山樗牛

- **キリスト教思想**…キリスト教の立場から平等・平和の思想→新島襄、内村鑑三

- **社会主義思想**…社会主義の立場からの平等・平和の思想→幸徳秋水、堺利彦

- **哲学思想**…自我の哲学的追究→西田幾多郎『善の研究』

過去 1 次のア～ウの（　）に入る共通の文字として、最も妥当なのはどれか。

ア　（　）が合う
イ　（　）の骨
ウ　（　）脚をあらわす

1 犬　　　2 馬　　　3 狐　　　4 虎　　　5 猫

| 重要度 | | 解答時間 | 2分 | 正解 | 2 |

解説 ことわざや慣用句は、意味だけでなく、使い方も覚えておこう。

ア　「馬が合う」は「気が合う」ことをいう。「あいつとは馬が合う」など。

イ　素性がよく分からない人のことをあざけって、「どこの『馬の骨』か分からない」などという。

ウ　「馬脚をあらわす」は、芝居で馬の脚を演じている役者が、うっかり自分の姿を見せてしまうことから、隠していたことがばれること。

他に「馬」を使った慣用句やことわざには以下のようなものがある。

馬には乗ってみよ、人には添うてみよ……馬は乗ってみなければいい馬かどうか分からないように、人柄の善し悪しも親しく付き合ってみなければ分からない。何事も経験してみないと分からないということ。

馬の耳に念仏……馬に念仏を聞かせても馬にはその有難味が分からないことから、忠告などをしても効き目がないことをいう。

馬耳東風……馬の耳に春風（東風）が吹いても馬は何も感じないように、人の意見や批評を聞き流すこと。

2 **A～Eのうち、左右のことわざの意味が類似するものの組み合わせ
として最も妥当なのはどれか。**

A　河童の川流れ—猿も木から落ちる
B　花より団子　—亀の甲より年の功
C　医者の不養生—紺屋の白袴
D　蛙の子は蛙　—蛇の道は蛇
E　宝の持ち腐れ—腐っても鯛

1 A、B　　　　　**2** A、C　　　　　**3** A、C、D
4 B、D、E　　　**5** C、D、E

| 重要度 | | 解答時間 | 2分 | 正解 | 2 |

解説 ことわざの意味を正確に理解しているかどうかをみる問題。こと
わざの意味は、分かっているつもりでも勘違いしているものが
けっこう多い。辞典できちんと確認することが大切。

○A 「河童の川流れ」「猿も木から落ちる」は、その道の達人でも時には失
敗することをいう。同じ意味のことわざに「弘法にも筆の誤り」がある。

×B 「花より団子」は、風流より実利を取ること、「亀の甲より年の功」は、
年齢とともに積んだ経験の大切さをいうことわざ。

○C 「医者の不養生」は、患者に養生の大切さを説きながら自分はそれを
実行しないこと、「紺屋の白袴」は、他人のために布を染めながら自
分は染めていない袴をはいていることで、ともに頭では分かっていな
がら実行を伴わないことをいう。同じような意味のことわざに「髪結
い髪結わず」「坊主の不信心」など。

×D 「蛙の子は蛙」は子は親に似ることをいうことわざだが、「蛇の道は
蛇」は同類の者は互いに事情によく通じていることをいう。

×E 「宝の持ち腐れ」は才能を持ちながらそれを活用できないこと、「腐っ
ても鯛」は本来すぐれた価値を持つものは、おちぶれてもそれなりの
値打ちがあること。

1 革新 － 保守
2 節約 － 浪費
3 義務 － 権利
4 繊細 － 微妙
5 偉才 － 凡才

重要度	💡 💡	解答時間	**2分**	正解	**4**

解説 → 類義語や対義語は体系的に一緒に学習すると覚えやすい。

× **1** 「革新」は制度・組織などを新しく変えること。「保守」は今までの状態・考え方などを変えようとしないこと。対義語である。

× **2** 「節約」は無駄を省いて切り詰めること。「浪費」はお金や物を無駄使いすること。対義語である。

× **3** 「義務」は道徳・法律上、人がしなくてはならないこと。「権利」はある物事をしてよい、またはしなくてよいという資格。対義語である。

○ **4** 「繊細」は細く小さいこと。また、感情などがこまやかなこと。「微妙」は細かく複雑なさまで、簡単には言い表せない様子。類義語である。

× **5** 「偉才」は人並みすぐれた才能。「凡才」は平凡な才能。対義語である。

まとめて チェック！

●類義語が複数あるものも

- 処理—処置—措置—対処
- 詳細—委細—綿密—精密
- 計略—策略—方策—策謀—謀略　など

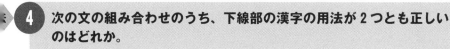

4 次の文の組み合わせのうち、下線部の漢字の用法が2つとも正しいのはどれか。

1 太陽の日差しを浴びて草木が<u>生長</u>する。
長時間にわたり、ご<u>清聴</u>いただき感謝いたします。

2 昔をふりかえり<u>懐古</u>録を執筆する。
不況のため大量の人員が<u>回顧</u>された。

3 黒板に左右<u>対照</u>な図形を描いた。
平安時代の文学を研究<u>対象</u>とする。

4 企業は利潤を<u>追究</u>し活動する。
事故の責任を徹底的に<u>追及</u>する。

5 世の転変に諸行<u>無情</u>を感じる。
彼は今、<u>無常</u>の喜びを感じている。

重要度	🔆	解答時間	**3分**	正解	**1**

解説 ➤ 同音の語はまとめて覚えておくと違いが分かりやすい。

○**1** 人間、動植物など一般的には「成長」だが、植物は「生長」と書くことも多い。「清聴」は自分の話を聞いてくれる人に対する敬語。似ている語に、静かに聞く意の「静聴」がある。

✕**2** 「懐古録」は正しくは「回顧録」。「懐古」は昔を懐かしむこと、「回顧」は過去を振り返ってみること。従業員をやめさせるときは「解雇」。

✕**3** 「左右対照」は正しくは「左右対称」。「対称」は互いに対応してつりあうこと。「対照」は照らし合わせることで、「比較対照」などに用いる。「研究対象」は正しい。

✕**4** 「利潤」は追い求めるものだから、「追究」ではなく「追求」。「追究」は「真理の追究」などに用いる。「責任の追及」は正しい。

✕**5** 「諸行無情」は仏教用語で、正しくは「諸行無常」。この世のすべてのものは変化し、生滅してとどまらず、はかないことをいう。「無情」は思いやりがないこと。「無情の雨」など。「無常の喜び」は「無上」が正しい。この上ないことの意味。

大正から昭和期の作家に関するA～Cの記述と、作家名の組み合わせとして、正しいのはどれか。

A　大正4年に発表された『羅生門』では古典より題材を得て、極限状況下での人間の持つエゴイズムを描いている。その後、『戯作三昧』『地獄変』などの作品で、一瞬の芸術的感動を重視する芸術至上主義へと転じていった。

B　大正末期に横光利一らと同人誌「文芸時代」を創刊し新感覚派運動を始めたが、後に日本の伝統文化の美しさを表現する作風へと移っていった。『伊豆の踊子』『雪国』などの作品で知られ、日本人で初めてノーベル文学賞を受賞した作家でもある。

C　SF的な発想を核とする寓意的な手法を用いた『壁―S・カルマ氏の犯罪』で昭和26年に芥川賞を受賞した。昭和37年の『砂の女』など、多くの作品が海外で翻訳され、国際的にも高い評価を得ている。

	A	B	C
1	志賀直哉	川端康成	小松左京
2	志賀直哉	大江健三郎	小松左京
3	芥川龍之介	大江健三郎	小松左京
4	芥川龍之介	大江健三郎	安部公房
5	芥川龍之介	川端康成	安部公房

重要度	🔔🔔🔔	解答時間	**4分**	正解	**5**

解説　国際的にも評価の高い文学者の代表作はチェックしておこう。

A　『羅生門』は『今昔物語』に題材を取った芥川龍之介の作品。

B　「新感覚派」と「ノーベル文学賞」がヒント。「新感覚派」は大正末期から昭和初期に活躍した川端康成、横光利一らをいう。ノーベル文学賞の受賞は川端康成が1968年で、大江健三郎（1994年）より先である。

C　安部公房の作品では、他に『他人の顔』『燃えつきた地図』などがある。演劇グループ「安部公房スタジオ」を主宰し、演劇作品も多い。『砂の女』は映画にもなっている。

6 次の作品と作者の組み合わせとして、最も妥当なのはどれか。

1 土佐日記—鴨長明
2 蜻蛉日記—阿仏尼
3 更級日記—菅原孝標女
4 方丈記—藤原道綱母
5 十六夜日記—紀貫之

重要度	☀☀	解答時間	4分	正解	3

解説 平安・鎌倉時代の日記や随筆だが、作者だけでなく書かれた背景や書名の由来などもつかんでおくと覚えやすい。

✕**1** 『土佐日記』は平安時代の作品で、作者は紀貫之(きのつらゆき)。土佐守(とさのかみ)の任を終えた貫之が京に帰るまでの日々を書いた紀行文。「男もすなる日記といふものを、女(おむな)もしてみむとてするなり」という書き出しで、女性が書いたという設定で書かれたことで知られる。

✕**2** 作者は藤原道綱母(ふじわらのみちつなのはは)で、藤原兼家との21年間の夫婦生活を綴った日記。書名は、「かげろうのようなはかない身の上の日記」という意味で、女性が書いた初めての日記文学。

◯**3** 菅原孝標女(すがわらのたかすえのむすめ)が書いた、『源氏物語』などに夢中になった少女時代から、夫の死後、信仰の世界に入るまでの約40年にも及ぶ日記。

✕**4** 鴨長明(かものちょうめい)が書いた鎌倉初期の随筆。山奥の方丈（一丈四方）の草庵での隠遁生活を綴ったもの。冒頭の「ゆく河の流れは絶えずして、しかももとの水にあらず」という無常感漂う名文は有名。

✕**5** 播磨国(はりまのくに)（兵庫県）に住んでいた阿仏尼(あぶつに)が夫の遺産相続の訴訟のために鎌倉に下ったときの日記。「いさよう月に誘われて」出立したことが書名の由来といわれる。

次の近現代文学の文芸思潮と作家、著作の組み合わせとして、最も妥当なのはどれか。

1 写実主義 ―二葉亭四迷―『浮雲』
2 擬古典主義―尾崎紅葉 ―『蒲団』
3 浪漫主義 ―徳田秋声 ―『破戒』
4 自然主義 ―田山花袋 ―『伽羅枕』
5 反自然主義―島崎藤村 ―『黴』

| 重要度 | | 解答時間 | **5分** | 正解 | **1** |

解説 ▶ 近現代の主要な作家と代表作をチェックしておこう。

○ **1** 『浮雲』は日本初の近代小説として評価されている。
× **2** 尾崎紅葉の作品は『伽羅枕』や『金色夜叉』など。他に、擬古典主義の作家としては幸田露伴、樋口一葉がいる。
× **3** 徳田秋声は自然主義の作家で代表作は『黴』。浪漫主義の作品としては島崎藤村の詩があるが、藤村の『破戒』は自然主義文学。
× **4** 自然主義文学の代表作は、田山花袋の『蒲団』である。
× **5** 反自然主義は自然主義に反発する白樺派、耽美派などをいう。島崎藤村は自然主義の作家。

まとめてチェック！

●白樺派は理想主義

　学習院出身の武者小路実篤、志賀直哉らが中心になって活動した理想主義的なグループ。彼らは美術を重視し、同人誌でヨーロッパの後期印象派やロダンなどを紹介した。また、トルストイの影響を受けた武者小路は人道主義を実践するため、理想的なコミューンとして、「新しき村」を創設するなど、文学活動にとどまらない幅広い活動を繰り広げた。

8 次の下線部の敬語の表現として、最も妥当なのはどれか。

1 お客様が<u>申されました</u>。　　　**2** お客様、こちらへ<u>参りませんか</u>。

3 お客様、受付で<u>うかがってください</u>。

4 お客様、明日、そちらに<u>うかがいます</u>。

5 お客様、こちらでデザートを<u>いただいてください</u>。

| 重要度 | 🔔🔔 | 解答時間 | 2分 | 正解 | 4 |

解説 尊敬語と謙譲語は取り違えやすいので気をつけよう。

×**1** 「申す」は自分の行動について言う謙譲語なので、お客様には用いない。正しくは「お客様がおっしゃいました」。

×**2** これも「お客様、こちらへいらっしゃいませんか」が正しい言い方。

×**3** 「お客様、受付でお聞きください」が正しい敬語。

○**4** 「うかがう」のは自分なので、謙譲語の使い方として正解。

×**5** 「いただく」は自分の行動について言う謙譲語。「食べる」の尊敬語は「召し上がる」。「お客様、こちらでデザートを召し上がってください」。

まとめて チェック！

●敬語には5種類ある

- **尊敬語**…相手の行動、物事などについて、その人物を立てて述べるもの。いらっしゃる、おっしゃるなど。

- **謙譲語Ⅰ**…自分側から相手側に向かう行動や物事について、その向かう先の人物を立てて述べるもの。うかがう、申し上げるなど。

- **謙譲語Ⅱ**…自分側の行動や物事を、話や文章の相手に対して丁重に述べるもの。参る、申すなど。

この他に**丁寧語**（です、ますなど）と**美化語**（お酒、お料理など）が加わり、5つに分類される。

次のA～Eの下線部と同じ漢字を使うものの組み合わせとして、正しいのはどれか。

A マ酔薬を投与する 　ア 病マに冒される
　　　　　　　　　　イ マ薬の密売が発覚する
　　　　　　　　　　ウ マ擦が起きる

B キョ大な物体 　　ア 枚キョにいとまがない
　　　　　　　　　　イ キョ偽の証言をする
　　　　　　　　　　ウ キョ額の資本を投じる

C 深夜に床にツく 　ア 役職にツく
　　　　　　　　　　イ 手紙がツく
　　　　　　　　　　ウ 夜になって街頭の灯りがツく

D あいまいな記オク 　ア 一オク円もの大金
　　　　　　　　　　イ 引出しのオクを探す
　　　　　　　　　　ウ オク測でものを考える

E コウ演会を開く 　ア 家をコウ入する
　　　　　　　　　　イ 大学のコウ義に出席する
　　　　　　　　　　ウ 家族コウ成を表にまとめる

	A	B	C	D	E
1	ア	イ	ウ	ア	ウ
2	イ	ウ	ア	ウ	イ
3	イ	ウ	イ	ウ	ア
4	ウ	ア	イ	イ	ア
5	ウ	ア	ア	ア	イ

重要度	🔔 🔔 🔔	解答時間	4 分	正解	2

> **解説** 同音の漢字は意味を考えて書きわけることが必要。

A 「麻酔薬」と同じ漢字はイ「麻薬」。「麻」には「しびれる」の意味がある。アは「病魔」で、「魔」は「魔物」の意。ウは「摩擦」で、「摩」は「こする」意。

B 「巨大」と同じ漢字はウ「巨額」。アは「枚挙」。「挙」は「あげる」意、「枚」は「いちいち数える」意で、「枚挙」はひとつひとつ数え上げること。イは「虚偽」で、「虚」は「むなしい」の意。

C 「床に就く」と同じ漢字はア「役職に就く」。「就」は「ある状態になること」。「就寝」「就任」など熟語で考えると分かりやすい。イは「手紙が着く」。ウは「灯りが点く」。熟語でいえば「点灯」。

D 「記憶」と同じ漢字はウ「憶測」。「憶」は「覚える」「思う」意。アは「一億円」、イは「引出しの奥」。

E 「講演会」と同じ漢字はイ「講義」。「講」は「説きあかす」意。アは「購入」で、「購」は「買う」意。ウは「構成」で、「構」は「組み立てる」意。

まとめて チェック！

●似ている漢字は部首の意味を考えて見わけよう

- 言偏…言葉や表現を意味する。講（講座）・読（読解）・論（論理）
- 貝偏…昔は子安貝を貨幣代わりに使ったことから、貨幣や財宝を意味する。購（購入）・販（販売）
- 木偏…樹木や木材製品などを意味する。構（構築）・検（検査）・板（看板）
- りっしん偏（忄）…人間の知・情・意、行いなどを表す。憶（記憶）・悩（懊悩）・情（感情）
- にん偏（イ）…人の性質・状態などを表す。億（億劫）・倹（倹約）・倫（倫理）・仮（仮面）

次のア～オの四字熟語のうち、漢字が正しいものの組み合わせとして、最も妥当なのはどれか。

ア　一喜一優　　イ　危機一髪　　ウ　旧態以前
エ　自我自賛　　オ　無我夢中

1 ア、イ、ウ　　**2** イ、ウ、オ　　**3** ア、イ
4 イ、オ　　**5** エ、オ

重要度	🔔🔔	解答時間	**3分**	正解	**4**

解説 ▶ **四字熟語の意味を考えれば、表記の間違いに気がつく。**

✕ **ア**　正しくは「一喜一憂」。状況の変化に伴って喜んだり心配したりすること。

〇 **イ**　髪の毛一本ほどの差で危機が迫っていること。

✕ **ウ**　正しくは「旧態依然」。旧来のままで少しも進歩・発展しないこと。

✕ **エ**　正しくは「自画自賛」。自分の描いた絵に自分で賛（その絵に関した詩歌や文章）を書くこと。転じて、自分で自分をほめること。

〇 **オ**　何かに心を奪われて我を忘れること。

まとめて チェック！

●混同しやすい四字熟語

• 一石二鳥……一つの石で二羽の鳥を落とすこと。

• 一朝一夕……ひと朝とひと晩ほどの短い時間。

• 朝三暮四……表面的な違いに惑わされて結果が同じことに気づかないこと。

• 朝令暮改……朝出された命令が夕方には改められるように、方針や命令が当てにならないこと。

去 **11** 「桃源」という言葉の意味として、最も妥当なのはどれか。

1 同類の中で、最も傑出している人や物
2 見かけが立派で内容が伴わないこと
3 厳しく意見すること
4 昔の物事を研究し吟味して、そこから新しい知識や見解を得ること
5 俗世間を離れた別天地

| 重要度 | ◯◯ | 解答時間 | **2分** | 正解 | **5** |

解説 ▶ 故事成語の意味を理解しておこう。

晋の時代、武陵の漁師が川をのぼっていくと桃の花が咲く林が現れ、さらに行くと、平和で幸せに暮らせる美しい村に着いた。漁師は後日もう一度そこに行こうとしたが、見つけることはできなかった。陶淵明（とうえんめい）の『桃花源記』による話からできた語である。社会の悩みや心配事から離れた別天地のこと。理想郷。

まとめて チェック！

●故事成語を覚える

・烏合の衆（うごうのしゅう）……統一や規律がない群衆のたとえ。
・漁夫の利（ぎょふのり）……互いに争っている隙に第三者が労せずして利益を横取りするたとえ。
・四面楚歌（しめんそか）……助けがなく、まわりが敵・反対者ばかりである状態のたとえ。
・蟷螂の斧（とうろうのおの）……自分の力の弱さを顧みず、力の強い者に立ち向かうことのたとえ。
・覆水盆に返らず（ふくすいぼんにかえらず）……一度したことは取り返しがつかないというたとえ。

A群及びB群は、ともに小倉百人一首におさめられた和歌の一節である。A群中の一節とB群中の一節とを組み合わせて和歌を完成させたい。このときの組み合わせとして、正しいのはどれか。

［A群］

ア　春過ぎて　夏来にけらし　白妙の

イ　あしびきの　山鳥の尾の　しだり尾の

ウ　人はいさ　心も知らず　ふるさとは

［B群］

a　衣干すてふ　天の香具山

b　花ぞ昔の　香ににほひける

c　ながながし夜を　独りかも寝む

1　ア―a　イ―b　ウ―c

2　ア―a　イ―c　ウ―b

3　ア―b　イ―a　ウ―c

4　ア―b　イ―c　ウ―a

5　ア―c　イ―b　ウ―a

重要度		解答時間	3分	正解	2

解説

百人一首でよく知られている歌だが、知らなくても枕詞や序詞につながるものや、上の句の内容とつながりのあるものなどを選べば分かる。

ア　「白妙の」は「衣」「袖」などにかかる枕詞で、aの「衣」にかかる。

イ　「あしびきの　山鳥の尾の　しだり尾の」までがcの「ながながし」を引きだす序詞。

ウ　「ふるさと」とbの「昔」という語が呼応していることに注目しよう。

13 次の古文単語とその現代語訳の組合せとして、最も妥当なのはどれか。

1 あさまし ── うっとうしい。気がかりだ。

2 あらまほし ── 現代風だ。派手だ。

3 かたはらいたし ── 風情がある。愉快だ。

4 くちをし ── 気の毒だ。いとしい。

5 こころにくし ── 奥ゆかしい。恐ろしい。

重要度	〰〰 〰〰	解答時間	2分	正解	5

解説 古文によく出てくる形容詞の意味を正確に覚えよう。

✕ **1** 「あさまし」は意外だ、情けない、みっともないという意味。よい意味でも悪い意味でも驚きの気持ちを表すときに使う。

✕ **2** 「あらまほし」はそうありたい、望ましいという意味。

✕ **3** 「かたはらいたし」はみっともない、気の毒だ、きまりが悪いという意味。

✕ **4** 「くちをし」は残念だ、情けない、不満だという意味。

◯ **5** 「こころにくし」にはいぶかしいという意味もある。

9 英語

過去 ❶ 次の英文を「そのレストランは、多彩な料理を出す」という意味の
文にするために（　　）に入れるものとして、最も妥当なのはどれか。

The restaurant has a (　　) range of dishes on its menu.

1 central　　**2** deep　　**3** spacious

4 wide　　**5** spatial

重要度	💡💡	解答時間	1分	正解	4

解説 〈a＋形容詞＋range of A〉で「広範囲のA」という意味。
形容詞にはwide、broad、full、wholeなどが用いられる。

「多彩な料理」は、「多種多様な料理」「広範囲の料理」などと読み替える。
そのうえで、〈a＋形容詞＋range of A〉「広範囲のA」のrange「範囲」を
修飾する適切な形容詞を検討すると、wide「（範囲が）広い、広範な、多岐
にわたる」が正解とわかる。適切な〈形容詞＋名詞〉の組み合わせを選ぶの
がポイント。他の選択肢の意味は、central「中心的な、主要な」、deep「深
い」、spacious「広々とした」、 spatial「空間の」。

まとめてチェック！

●よく使われる〈a＋形容詞＋名詞＋of A〉の表現

- a large [small] number of A「多数〔少数〕のA」
- a high [low] degree of A「高度〔低度〕のA」

2 次の英文を「私は、そのプロジェクトに関してあなたと一緒に仕事をすることに決めました」という意味の文にするために（　　）に入れるものとして、最も妥当なのはどれか。

I decided（　　）with you on the project.

① to work　　　**②** for working　　　**③** by working
④ to working　　　**⑤** working

重要度		解答時間	1分	正解	1

解説 decideは目的語にto不定詞をとる他動詞。
〈decide＋to不定詞〉は「…することに決める」という意味。

decide「…を決める」は他動詞なので目的語が必要。直後に名詞の働きをする語句や節が続く。選択肢の中で名詞の働きをするのは、to不定詞のto work と動名詞のworkingのみ。decideは目的語にto不定詞をとるので、正解はto workである。他の選択肢はいずれも〈前置詞＋動名詞〉の形で副詞の働きをする。それぞれ、for working「仕事のために」、by working「仕事によって」、to working「働くことに」の意味。

 まとめて チェック！

●to不定詞と動名詞、どちらを目的語にとるかは動詞によって決まる

to不定詞を目的語にとって、動名詞を目的語にとれない動詞を覚えよう。
- 〈desire＋to不定詞〉「…したいと強く望む」
- 〈expect＋to不定詞〉「…するつもりである」
- 〈manage＋to不定詞〉「（苦労の末に）どうにか…する」
- 〈promise＋to不定詞〉「…すると約束する」

次の英文を「彼はオフィスを出る際に鍵を閉め忘れた」という意味の文にするために（　　）に入れるものとして、最も妥当なのはどれか。

He forgot（　　　）the door when he left the office.

1 lock 　　　　　**2** locking

3 to lock 　　　　**4** locked

5 to be locked

重要度	🔔 🔔 🔔	解答時間	1分	正解	3

解説 〈forget＋to不定詞〉は「…することを忘れる」という意味。
〈forget＋-ing〉は「…したことを忘れる」という意味。

forgetは目的語にto不定詞と動名詞の両方をとることができる他動詞。ただし、目的語がto不定詞のときと動名詞のときとでは意味が異なることに注意。to不定詞は未来志向で「まだ起こっていないこと」を表すのに対し、動名詞は現実志向で「すでに起こったこと」を表す。「鍵を閉め忘れた」は「鍵を閉めることを忘れた」で、「まだ閉めていない」ことになるので to lock が正解。

まとめて チェック！

●**目的語がto不定詞のときと動名詞のときで意味が異なる動詞、また、後に続くto不定詞と動名詞の使い分けに注意が必要な表現を覚えよう**

- 〈try＋to不定詞〉「…しようとする」　　〈try＋-ing〉「試しに…してみる」
- 〈regret＋to不定詞〉「残念ながら…する」
  〈regret＋-ing〉「…したことを後悔する」
- 〈stop＋to不定詞〉「…するために立ち止まる」（to不定詞の副詞的用法）
  〈stop＋-ing〉「…するのをやめる」

4 次の英文を「私は以前、彼にどこかで会った覚えがあります」という意味の文にするために（　　）に入れるものとして、最も妥当なのはどれか。

I（　　　　）him somewhere before.

1 remember **2** remember see **3** remember seeing

4 remember to see **5** remember to seeing

重要度		解答時間	1分	正解	3

 解説 → 〈remember＋to不定詞〉は「忘れずに…する」という意味。
〈remember＋-ing〉は「…したことを覚えている」という意味。

rememberもforgetと同様で、目的語にto不定詞と動名詞の両方をとることができる他動詞。目的語がto不定詞のときと目的語が動名詞のときとでは、意味が異なる。「どこかで会った」は「すでに起こったこと」なので、動名詞を用いたremember seeingが正解。

まとめて チェック！

●**to不定詞と動名詞、どちらを目的語にとるかは動詞によって決まる。次の4つのグループに分けて、もう一度確認しておこう**

1　to不定詞を目的語にとって、動名詞を目的語にとれない動詞
 agree/desire/determine/expect/mean/pretend/promise/refuse...

2　動名詞を目的語にとって、to不定詞を目的語にとれない動詞
 avoid/deny/enjoy/escape/finish/give up/mind/put off/stop...

3　目的語がto不定詞でも動名詞でも意味に差がない動詞
 begin/cease/continue/hate/intend/like/love/neglect/start...

4　目的語がto不定詞と動名詞で意味が異なる動詞
 forget/regret/remember/try...

次の英文を「君はすぐにこの機材を使い慣れるでしょう」という意味の文にするために（　　）に入れるものとして、最も妥当なのはどれか。

You will get used to (　　　) this machine soon.

1 be used　　**2** being used　　**3** have used

4 use　　　　**5** using

重要度	🔆🔆	解答時間	1分	正解	5

解説 〈get used to＋(動)名詞〉は「…に慣れる」という意味。〈get used to...〉のtoは前置詞なので、名詞か動名詞が続く。

toのあとに空所があると、動詞の原形を入れてto不定詞を作ろうとする間違いがよく見られる。しかしget used to...「…に慣れる」のtoは前置詞のtoなので、あとには名詞か動名詞が続く。「使い慣れる」は「使うことに慣れる」と読み替えて、usingが正解。選択肢のなかで名詞の働きをするものは、ほかにbeing used「使われること」、use「利用」があるが、前者は受動態、後者は後ろにofが足りないので、どちらも誤り。

まとめて チェック！

●toのあとに動名詞が続く、要注意の表現を確認しよう

- **be used to -ing** 「…することに慣れている」
  Ken was used to getting up early to catch the first train.
  「ケンは始発電車に乗るために早起きするのに慣れていた」
- **look forward to -ing** 「…するのを楽しみに待つ」
  I am looking forward to seeing you soon.
  「あなたにすぐにお会いできるのを楽しみにしています」

6 次の英文を「率直に言って、その会合には出席したくない」という意味の文にするために（　）に入れるものとして、最も妥当なのはどれか。

（　　　）speaking, I don't want to attend the meeting.

1 Generally　　　　**2** Strictly
3 Roughly　　　　　**4** Frankly
5 Historically

重要度	💡💡💡	解答時間	1分	正解	4

解説 慣用的な独立分詞構文〈副詞＋speaking〉を覚えよう。

　各選択肢を用いた場合の独立分詞構文の意味は、
✕ **1** Generally speaking「一般的に言って」
✕ **2** Strictly speaking「厳密に言って」
✕ **3** Roughly speaking「大まかに言って」
○ **4** Frankly speaking「率直に言って」
✕ **5** Historically speaking「歴史的に言って」
いずれも〈副詞＋speaking〉の形で、文全体を修飾し、話者の判断を表す。ほかに、broadly speaking「大まかに言って」、relatively speaking「相対的に言って」、personally speaking「個人的には」などがよく用いられる。

まとめて チェック！

● **慣用的な独立分詞構文を覚えよう**

慣用的に用いられる独立分詞構文には、ほかに次のようなものがある。
- **judging from** …「…から判断すれば」　• **talking of** …「…と言えば」
- **taking … into consideration**「…を考慮に入れると」

次の英文を「我々はさくらんぼで有名な土地に住んでいます」とい
う意味の文にするために（　　）に入れるものとして、最も妥当な
のはどれか。

We live in a place（　　　　）is famous for cherries.

1 what　　**2** which　　**3** where　　**4** all　　**5** but

重要度	🔔 🔔 🔔	解答時間	**1分**	**正解**	**2**

解説 ▶ **関係代名詞のあとの文には名詞の欠けた部分がある。**

✕ **1** whatは先行詞を含んだ関係代名詞。問題文には先行詞a placeが含
　　まれているので誤り。

◯ **2** whichは先行詞が物の関係代名詞。関係詞節のなかで主語(S)や目的
　　語(O)として働くことができる。

✕ **3** whereは関係副詞。関係副詞節のなかは主語(S)、動詞(V)（目的語
　　(O)、補語(C)）の揃った完全な文でなければならない。問題文には主
　　語(S)が欠けているので誤り。

✕ **4** allは代名詞。接続詞の働きはないので誤り。

✕ **5** butは接続詞。後ろの文に主語(S)が欠けているので誤り。

ポイントは**ココ！**

●**関係代名詞の働きを確認しよう**

　関係代名詞は文と文をつなぐ接続詞の働きと、名詞の代わりをする代名詞
の働きをあわせ持つ。よって、関係代名詞節のなかには名詞の欠けた部分が
ある。問題文は空所の後ろに主語が欠けているので、主語の働きをする関係
代名詞（主格）whichが入る。

関係代名詞（主格）

We live in a <u>place</u> [**which** is famous for cherries].
　　　　　　先行詞 ▲　　　S　　V

8 次の英文が完成した文になるように、文意に沿って [ ] 内の単語を並び替えたとき、2番目と4番目にくる単語の組合せとして、最も妥当なのはどれか。

Natalie was [skillful / far / by / most / the] piano player in the contest, so nobody was surprised when she won.

	2番目	4番目
1	skillful	far
2	most	the
3	far	most
4	most	by
5	far	skillful

重要度	🔔🔔	解答時間	**2分**	正解	**3**

解説 ➤ [ ] の中に熟語や慣用句を見つけてつなげよう。

[ ] の直後のpiano player につながるのは形容詞のskillful。by far は「はるかに、ずっと」を表す熟語。
「ナタリーは飛び抜けて巧みなピアニストだったので、彼女がコンテストで優勝したとき誰も驚かなかった」Natalie was <u>by far the most skillful</u> piano player in the contest, so nobody was surprised when she won.

ポイントはココ！

●**語句を並べ替える問題は慎重に！**

正しい語順がわかっているのにうっかりミスをしがちな問題。頭の中だけで考えずに、**実際に全文を書いてみる**のもおススメ。

次の英文のうち第3文型（主語、動詞、目的語）として、最も妥当なのはどれか。

1 This movie is very interesting.
2 Scientists sometimes study funny things.
3 The committee gave Tom a special prize.
4 Lucy gave David a book.
5 Jane calls him Matt.

重要度		解答時間	2分	正解	2

解説 英文は5種類の文型に分類できる。主語はどれか、動詞はどれか、目的語は？…と見てみよう。

✕**1** 「この映画はとても面白い」S+V+C　第2文型
〇**2** Scientists（主語S）+ study（動詞V）+ funny things（目的語O）
「科学者（主語）は時としておかしな事（目的語）を研究する（動詞）」
✕**3** 「委員会はトムに特別賞を与えた」S+V+O+O　第4文型
✕**4** 「ルーシーはデビッドに本をあげた」S+V+O+O　第4文型
✕**5** 「ジェーンは彼をマットと呼ぶ」S+V+O+C　第5文型

ポイントはココ！

●文型は5つ

- 第1文型は、主語と動詞（**S+V**）だけで成り立つ文。
  （例）Birds fly.「鳥は飛ぶ」
- 第2文型は、動詞の後に主語を説明する補語をとる。
- 第4文型は、動詞の後に目的語を2つとる。
- 第5文型は、動詞の後に目的語を説明する補語をとる。

10 次の英文を「もし私がその真相を知っていたら、彼を解雇していなかっただろう」という意味の文にするために（　　）に入れるものとして、最も妥当なのはどれか。

If I (　　) the truth, I would not have fired him.

1 am knowing **2** had known **3** have known

4 knew **5** know

| 重要度 | 🏮🏮🏮 | 解答時間 | **1分** | 正解 | **2** |

解説 「もし（あのとき）…だったら〜」は仮定法過去完了：〈If＋S＋had＋過去分詞...,＋S＋助動詞の過去形＋have＋過去分詞〜〉

「もし私がその真相を知っていたら」というのは、「過去の事実に反すること」を述べた文。過去の事実に反することは、If節の動詞を過去完了形に、主節の動詞を〈助動詞の過去形＋have＋過去分詞〉にして表す。この動詞の形を仮定法過去完了と呼ぶ。

⚡ **まとめて チェック！**

●「もし（今）…なら〜」は仮定法過去：
〈If＋S＋過去形...,＋S＋助動詞の過去形＋動詞の原形〜〉
If I **were** rich, I **would buy** you this dress.
〈過去形〉　　　　〈助動詞の過去形＋動詞の原形〉
「もし私が金持ちなら、君にこのドレスを買ってあげるのに」

●「もし（あのとき）…だったら〜」は仮定法過去完了：
〈If＋S＋had＋過去分詞...,＋S＋助動詞の過去形＋have＋過去分詞〜〉
If I **had left** home earlier, I **would not have been** late.
〈had＋過去分詞〉　　　　　　　〈助動詞の過去形＋have＋過去分詞〉
「もっと早く家を出ていたら、遅刻しなかったのに」

日本史

●年表などを活用して、時代ごとのできごとや特徴をつかんでおくことです。
●文化史も時代別に内容を整理しましょう。

世界史

●「ウィーン会議」に関する問題はよく出題されます。
●中国の各時代の特色をつかんでおきましょう。
●古代文明に関することがらも整理しておいてください。

地理

●世界や日本の地形についての問題はよく出題されます。
●日本と関係の深い各国の資源や産業の概要は覚えておいてください。

倫理

●世界の哲学者とその人の残した言葉はしっかり覚えておきましょう。
●日本の思想家の作品や主張も復習してください。

国語

●間違えやすい漢字の読みと書きはかならず出題されます。
●ことわざ、四字熟語、慣用句も数をこなして覚えてください。

英語

●to不定詞と動名詞の使い方を整理しておきましょう。
●関係代名詞、仮定法などの高校までの復習がポイントです。

SECTION

③

自然科学

高校までの基礎知識が求められます。苦手分野はとくに総復習を心がけてください。
公式をもう一度確認することも大切です。

10 数学

過去 **1** 数式 $P(x)$ を $x+1$ で割ると -2 余り、$x-3$ で割ると 2 余る。$P(x)$ を $(x+1)(x-3)$ で割ったときの余りとして正しいのはどれか。

1 $x+1$ **2** $x-1$ **3** $2x+1$ **4** $2x-1$ **5** $2x-2$

重要度		解答時間	4分	正解	2

解説

条件より $P(x) = (x+1)Q(x) - 2 \cdots①$、$P(x) = (x-3)R(x) + 2 \cdots②$ となる。ここで、2次式で割ったときの余りは1次式になることから、
$P(x) = (x+1)(x-3)S(x) + ax + b \cdots③$ とおくと、
①より $P(-1) = -2$ となるので、③に $x = -1$ を代入し、
$P(-1) = (-1+1)(-1-3)S(-1) + a \times (-1) + b = -a + b = -2 \cdots④$
②より $P(3) = 2$ となるので、③に $x = 3$ を代入し、
$P(3) = (3+1)(3-3)S(3) + a \times 3 + b = 3a + b = 2 \cdots⑤$
④、⑤より $a = 1$、$b = -1$　③の $ax + b$ に代入し、$x - 1$ となる。

ポイントはココ！

● **重要公式**

- 因数定理…整式 $P(x)$ が1次式 $x - p$ で割り切れるとき、
  $P(x) = (x-p)Q(x)$ より、$P(p) = 0$
- 剰余定理…整式 $P(x)$ を1次式 $x - p$ で割ったときの余りが q であるとき、
  $P(x) = (x-p)Q(x) + q$ より、$P(p) = q$
  余りの次数は商の次数より1次下がる。代入する数値の符号に注意。

去 2 2次方程式 $x^2 + 6x - 3 = 0$ の2つの解をそれぞれ α、β とするとき、$\dfrac{1}{\alpha - 1} + \dfrac{1}{\beta - 1}$ の値として、正しいのはどれか。

① $-\dfrac{9}{4}$　　② -2　　③ $-\dfrac{7}{4}$　　④ $-\dfrac{3}{2}$　　⑤ $-\dfrac{5}{4}$

重要度		解答時間	3分	正解	2

解説

解の公式を用いて、$x = -3 \pm 2\sqrt{3}$ と解いて代入することも可能だが、「解と係数の関係」より、$\alpha + \beta = -6$、$\alpha\beta = -3$ を利用すると、

$$\frac{1}{\alpha - 1} + \frac{1}{\beta - 1} = \frac{\beta - 1 + \alpha - 1}{(\alpha - 1)(\beta - 1)} = \frac{\alpha + \beta - 2}{\alpha\beta - (\alpha + \beta) + 1} = \frac{-8}{4} = -2$$

 ポイントは ココ！

●重要公式

- 重要な式変形
  $a^2 + b^2 = (a + b)^2 - 2ab$
  $a^3 + b^3 = (a + b)^3 - 3a^2b - 3ab^2 = (a + b)^3 - 3ab(a + b)$

- 2次方程式の解の公式
  $ax^2 + bx + c = 0$ の解は、$x = \dfrac{-b \pm \sqrt{b^2 - 4ac}}{2a}$

- 2次方程式の解と係数の関係
  $ax^2 + bx + c = 0$ の2つの解を $x = \alpha$、β とするとき、
  $\alpha + \beta = -\dfrac{b}{a}$、$\alpha\beta = \dfrac{c}{a}$

$y = 2(x-3)^2 + 1$のグラフを、x軸方向に4、y軸方向に5、移動してできる放物線の式として、最も妥当なのはどれか。

1 $y = x^2 - 6x + 30$

2 $y = x^2 - 6x + 6$

3 $y = 2(x^2 + 2x + 4)$

4 $y = 2(x^2 + 6x + 30)$

5 $y = 2(x^2 - 14x + 52)$

重要度		解答時間	**2分**	正解	**5**

解説

グラフをx軸方向に4移動する場合は変数xを$x-4$と置き換える。y軸方向に5移動する場合は変数yを$y-5$と置き換える。

元の式に代入すると、$y-5 = 2(x-4-3)^2 + 1$となるので、変形すると
$y = 2(x-7)^2 + 1 + 5 = 2(x^2 - 14x + 49) + 6 = 2(x^2 - 14x + 52)$

ポイントはココ！

●重要公式

- 関数$y = f(x)$をx軸方向にp、y軸方向にq平行移動した式は $y - q = f(x-p)$である。xを$x-p$に、yを$y-q$に置き換える。

- 平方完成には、xの係数の$\dfrac{1}{2}$の平方の定数が必要。

  $$ax^2 + bx + c = a\left(x^2 + \frac{b}{a}x\right) + c$$
  $$= a\left(x^2 + \frac{b}{a}x + \left(\frac{b}{2a}\right)^2\right) + c - a\left(\frac{b}{2a}\right)^2 = a\left(x + \frac{b}{2a}\right)^2 + \frac{4ac - b^2}{4a}$$

- x軸とp, qで交わる放物線の式：$y = a(x-p)(x-q)$

- 頂点の座標が(p, q)である放物線の式：$y = a(x-p)^2 + q$

- 関数の微分では、指数が係数にかけられ、指数は1減る。

  例 $f(x) = ax^3 + bx^2 + cx + d$のとき、$f'(x) = 3ax^2 + 2bx + c$

- 関数の式は微分すると接線の傾きを表す式になる。

- 2次関数では接線の傾きが0のとき、グラフは最大、最小となる。

4 2次方程式 $x^2 + 2mx - m + 6 = 0$ が少なくとも1つの実数解をもつ
ときの m のとりうる値として、妥当なのはどれか。

1 -2 **2** -1 **3** 0 **4** 1 **5** 2

重要度	🔔🔔🔔	解答時間	**4分**	**正解**	**5**

解説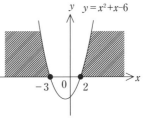

$ax^2 + bx + c = 0$ において判別式 $D = b^2 - 4ac$
が0以上になるとき、少なくとも1つの実数解
をもつ。
よって、$D = (2m)^2 - 4 \times 1 \times (-m + 6) \geqq 0$
$\qquad\qquad m^2 + m - 6 \geqq 0$
これより関数 $y = x^2 + x - 6$ のグラフが0以上になる部分を考えればよい。
$x^2 + x - 6 = 0$ の解が $(x + 3)(x - 2) = 0$ より、$x = -3, 2$
となるので、グラフより判断し、解は $x \leqq -3, 2 \leqq x$ となる。
これに当てはまるものは $x = 2$ となる。よって m のとりうる値は2となる。

 ポイントはココ！

●**重要公式**

・解の公式 $ax^2 + bx + c = 0$ のとき、$x = \dfrac{-b \pm \sqrt{b^2 - 4ac}}{2a}$
・2次不等式は放物線を描き、グラフが x 軸の上にあるか下にあるかで、範
囲を判断する。
・$y = ax^2 + bx + c$ が x 軸と交わる条件
  2次方程式 $ax^2 + bx + c = 0$ が実数解をもつ範囲なので、$D = b^2 - 4ac \geqq 0$
・2次方程式において、$D > 0$ のときは2つの異なる実数解、$D = 0$ のとき
  は重解、$D < 0$ のときは解なし。
  解の個数は判別式で判断し、2次不等式の解の範囲は放物線で判断しよう。

2次関数 $f(x) = x^2 + ax + b$ において、$f(2) = 0$、$f'(0) = 4$ のときの定数 b の値として、最も妥当なのはどれか。

1 8 **2** 2 **3** 0 **4** − 4 **5** − 12

重要度			解答時間	**2分**	正解	**5**

解説

$f(2) = 0$ なので、$f(x) = x^2 + ax + b$ に $x = 2$ を代入して、

$f(2) = 2^2 + a \times 2 + b = 0$ より、$4 + 2a + b = 0 \cdots ①$

$f'(0) = 4$ なので、$f'(x) = 2x + a$ に $x = 0$ を代入して、

$f'(0) = 2 \times 0 + a = 4$ より、$a = 4 \cdots ②$

①、②の連立方程式を解くと $a = 4$、$b = -12$

ポイントはココ！

●重要公式

- 関数の式は微分すると接線の傾きを表す式になる。
- 傾きが 0（接線は x 軸に平行）のとき、グラフは極大、極小となる。
  微分すると指数が係数にかけられ、指数は 1 減る。
  例 $f(x) = ax^3 + bx^2 + cx + d$ のとき、$f'(x) = 3ax^2 + 2bx + c$

●ここを再チェック

1 図形は中2から高1までの復習を。平行線と角・三平方の定理・相似と辺の長さ、面積比
2 不等式の復習を。変形規則・連立不等式の解集合の重なり方

1 1405　　　　**2** 1406　　　　**3** 1443　　　　**4** 1444　　　　**5** 1482

| 重要度 | 💡💡💡 | 解答時間 | **3分** | 正解 | **3** |

解説 ➡

奇数の一般項を $2n+1$ とおくと、$2n+1=3$ より $n=1$、$2n+1=75$ より $n=37$ となり、それぞれ第1項、37項であることがわかる。これより項の数は $37-1+1=37$ となるので、初項3、末項75、項数37の等差数列の和を求めればよい。

これより、$\dfrac{37(3+75)}{2}=1443$

ポイントはココ！

●重要公式

- 等差数列の和…初項 a、末項 b、項数 n の等差数列の和は $\dfrac{n(a+b)}{2}$
- m から n までの整数の個数は $(n-m+1)$ 個
  項の数に注意しよう。

●他にもチェック

数ⅠA、数ⅡBまでの簡単な公式もチェックしておこう。

1　順列・組合せの計算：$_nP_r$、$_nC_r$

2　指数法則：$a^m \times a^n = a^{m+n}$、$a^m \div a^n = a^{m-n}$、$(a^m)^n = a^{mn}$

3　集合の結びと交わりの関係：$n(A \cup B) = n(A) + n(B) - n(A \cap B)$

下のような三角形ＡＢＣがあり、点Ⅰはこの三角形の内心である。点Ⅰのなす∠αの角度として、最も妥当なのはどれか。

1 $\dfrac{140}{\sqrt{3}}$

2 125

3 $70\sqrt{3}$

4 135

5 $\dfrac{180}{\sqrt{3}}$

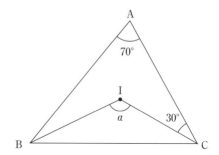

重要度		解答時間	**2分**	正解	**2**

解説 ▶

三角形の内心は内接円の中心で、角の二等分線の交点として得られる。
このことより以下の順に角が決まっていく。
∠ＩＣＢ＝∠ＩＣＡ＝30°、∠Ｂ＝180°－∠Ａ－∠Ｃ＝180°－70°－60°＝50°、
∠ＩＢＣ＝$\dfrac{1}{2}$∠Ｂ＝25°、これより、∠α＝180°－30°－25°＝125°となる。

 ポイントはココ！

●**重要公式**

- 凸n角形の内角の総和は180 $(n-2)$度、外角の総和は360度。
- 三角形の3心
  内心（内接円の中心）：角の二等分線の交点
  外心（外接円の中心）：辺の垂直二等分線の交点
  重心（重さの中心）：中線（頂点と対辺の中点を結ぶ線分）の交点
- 相似な図形で、相似比が$a:b$であるとき、面積比は$a^2:b^2$、
  体積比は$a^3:b^3$。

8 円に内接する四角形ＡＢＣＤについて、ＡＢ＝6cm、ＢＣ＝5cm、ＣＤ＝5cm、∠Ｂ＝60°であるとき、ＤＡの長さの値として、最も妥当なのはどれか。

1 1cm **2** 2cm **3** 3cm **4** 4cm **5** 5cm

重要度	☀ ☀ ☀	解答時間	5分	正解	1

解説

円の半径が与えられていないので、図を描くことが困難である。おおよその形を描いて、角度が与えられていることから正弦定理か余弦定理を思い浮かべよう。

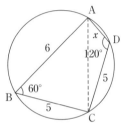

ＡＤ＝xとして、余弦定理を使うと、△ＡＢＣにおいて、$AC^2 = 6^2 + 5^2 - 2 \times 6 \times 5 \times \cos60° = 31$
△ＡＤＣにおいて、$AC^2 = x^2 + 5^2 - 2 \times x \times 5 \times \cos120° = x^2 + 5x + 25$
これらより、$x^2 + 5x + 25 = 31$、これを解き、$x = -6$、1 $x > 0$より、$x = 1$

ポイントはココ！

●重要公式

- 三平方の定理（右図）$a^2 + c^2 = b^2$
- 三角比（右図）$\sin A = \dfrac{a}{b}$ $\cos A = \dfrac{c}{b}$ $\tan A = \dfrac{a}{c}$
- 余弦定理（右図）$a^2 = b^2 + c^2 - 2bc\cos A$
- 特別角三角形の三辺の比
  45°定規（$1 : 1 : \sqrt{2}$）　30°定規（$\sqrt{3} : 1 : 2$）
- 正弦定理　$\dfrac{a}{\sin A} = \dfrac{b}{\sin B} = \dfrac{c}{\sin C} = 2R$（$R$は外接円の半径）

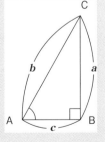

三平方の定理・三角比・余弦定理の流れを押さえよう。
コサイン（cos）の符号に注意しよう。

11 # 生物

過去 **1** ヒトのすい臓のＢ細胞から分泌されるホルモンとして、最も妥当なのはどれか。

1 チロキシン

2 グルカゴン

3 アドレナリン

4 インスリン

5 糖質コルチコイド

重要度	🔔 🔔 🔔	解答時間	1分	正解	4

解説 ホルモンの内分泌腺とその働きを覚えよう。

× **1** チロキシンは甲状腺から分泌され、生体内の化学反応を促進する。
× **2** グルカゴンはすい臓のA細胞から分泌され、血糖量を増加させる。
× **3** アドレナリンは副腎髄質から分泌され、血糖量を増加させる。
○ **4** インスリンはすい臓のB細胞から分泌され、血糖量を減少させる。
× **5** 糖質コルチコイドは副腎皮質から分泌され、血糖量を増加させる。

まとめてチェック！

●ホルモンの内分泌腺と働きを整理しよう

1 ホルモンは内分泌腺でつくられ、**血液**によって運ばれる
2 ホルモンはそれぞれ**特定の器官や組織**に作用する
3 おもなホルモンの内分泌腺と働きは次の通り

内分泌腺		ホルモン	おもな働き
脳下垂体	前葉	**甲状腺刺激ホルモン**	チロキシンの分泌を促進
	後葉	**バソプレシン**	腎臓での水の再吸収を促進
甲状腺		**チロキシン**	生体内の化学反応を促進
副腎	髄質	**アドレナリン**	グリコーゲンの分解を促進し、血糖量を増加
	皮質	**糖質コルチコイド**	タンパク質からの糖の合成を促進し、血糖量を増加
すい臓	A細胞	**グルカゴン**	グリコーゲンの分解を促進し、血糖量を増加
	B細胞	**インスリン**	グリコーゲンの合成や細胞の呼吸を促進し、血糖量を減少

ヒトの血液の有形成分である次のアからウのはたらきと関係の深い語句を選んだ組み合わせとして、最も妥当なのはどれか。

ア　血小板
イ　白血球
ウ　赤血球

	ア	イ	ウ
1	血液の凝固	酸素の運搬	食作用・免疫
2	食作用・免疫	酸素の運搬	血液の凝固
3	血液の凝固	食作用・免疫	酸素の運搬
4	食作用・免疫	血液の凝固	酸素の運搬
5	酸素の運搬	血液の凝固	食作用・免疫

重要度	🔦 🔦 🔦	解答時間	2分	正解	3

解説 ▶ **血液の各成分の特徴とその働きを整理しておこう。**

ア　血小板は、2～4 μm の大きさの無核の不定形で、血液1 mm³当たり20万～30万個含まれ、血液の凝固に関係する。

イ　白血球は、7～15 μm の大きさの有核の球形で、血液1 mm³当たり6000～8000個含まれ、食作用によって異物を排除したり、免疫に関与したりする。

ウ　赤血球は、約8 μm の大きさの無核の円盤形で、血液1 mm³当たり450万～500万個含まれている。赤色の色素であるヘモグロビンを含み、酸素の運搬に関係する。

3 ヒトの大脳に関する記述として、最も妥当なのはどれか。

1　表面に近い部分はその色から灰白質とよばれ、より内側の部分は白質とよばれる。

2　新皮質では、本能的な行動が営まれている。

3　古い皮質では、記憶、思考、理解などの精神活動が営まれている。

4　体の平衡を保つ中枢があり、随意運動における熟練の獲得にもかかわっている。

5　自律神経の中枢があり、内臓の働きを調節する。

| 重要度 |  | 解答時間 | **2分** | 正解 | **1** |

解説　ヒトの脳のそれぞれの働きを理解しておこう。

○ **1**　大脳では、表面に近い部分に細胞体が集まった灰白質があり、内側の部分は軸索が集まった白質になっている。

× **2**　新皮質では、記憶、思考、理解などの精神活動が営まれている。

× **3**　古い皮質では、本能的な行動や感情に基づく行動が営まれている。

× **4**　体の平衡を保つ中枢は、小脳にある。

× **5**　自律神経系の中枢は、間脳の視床下部にある。

まとめて チェック！

●ヒトの脳の働きを整理しよう

名称	おもな働き
大脳	感覚や随意運動、精神活動の中枢、本能などによる行動の中枢
間脳	自律神経系の最高中枢
中脳	眼球の運動、ひとみの調節、姿勢保持の中枢
小脳	筋肉運動の調節や体の平衡を保つ中枢
延髄	呼吸運動、心臓拍動、だ液分泌の中枢

丸形の種子をつくる純系のエンドウとしわ形の種子をつくる純系の
エンドウを交配すると、得られた種子はすべて丸形になった。得ら
れた丸形の種子を育てて自家受粉させると、丸形の種子としわ形の
種子ができた。このとき得られた丸形の種子を育てたエンドウとし
わ形の種子をつくる純系のエンドウを交配して得られた種子で予想
される、丸形の種子としわ形の種子の個数の比として、最も妥当な
ものはどれか。

1 丸形：しわ形 ＝ 1：0

2 丸形：しわ形 ＝ 1：1

3 丸形：しわ形 ＝ 2：1

4 丸形：しわ形 ＝ 3：1

5 丸形：しわ形 ＝ 4：1

重要度	🔔 🔔	解答時間	**3分**	**正解**	**3**

解説 丸形としわ形の純系の両親を交配させたとき、孫の代では、丸形の種子の遺伝子の組み合わせはAA：Aa＝2：1となる。

丸形が顕性の形質、しわ形が潜性の形質である。

エンドウの種子の形を決める遺伝子を、丸形をA、しわ形をaとすると、丸形の種子をつくる純系のエンドウの遺伝子の組み合わせはAA、しわ形の種子をつくる純系のエンドウの遺伝子の組み合わせはaa、交配の結果得られた子の遺伝子の組み合わせはAaとなる。さらに得られた子を自家受粉させたときに得られる孫は、遺伝子の組み合わせがAA：Aa：aa＝1：2：1の個数の比となる。このうちの丸形の種子（AAとAa）としわ形の種子をつくる純系のエンドウ（aa）を交配させて得られる種子の遺伝子の組み合わせは、次のようになる。

	a	a
A	Aa	Aa
A	Aa	Aa

	a	a
A	Aa	Aa
a	aa	aa

	a	a
A	Aa	Aa
a	aa	aa

よって、Aa：aa ＝ 8：4 ＝ 2：1 より、丸形：しわ形 ＝ 2：1

5 生殖方法と生物の例の組み合わせとして、最も妥当なのはどれか。

1　接合　　—　アオミドロ
2　出芽　　—　アオカビ
3　栄養生殖　—　ゾウリムシ
4　分裂　　—　ジャガイモ
5　胞子生殖　—　ヒドラ

| 重要度 | | 解答時間 | 1分 | 正解 | 1 |

 解説 ▶ 生殖方法とその代表的な例を覚えておこう。

○**1**　アオミドロは、接合によって新しい個体ができる。
✕**2**　アオカビは、胞子によって新しい個体ができる。
✕**3**　ゾウリムシは、分裂によって新しい個体ができる。
✕**4**　ジャガイモは、塊茎によって新しい個体をつくる栄養生殖を行う。
✕**5**　ヒドラは、出芽によって新しい個体ができる。

まとめて チェック！

●生殖方法を整理しておこう

生殖方法		生物の例
無性生殖	分裂	大腸菌、ゾウリムシ、アメーバ、ミドリムシ
	出芽	酵母菌、ヒドラ
	胞子生殖	アオカビ、コンブ、イヌワラビ
	栄養生殖	オランダイチゴ、オニユリ、ジャガイモ
有性生殖	接合	アオミドロ、クラミドモナス
	受精	種子植物、動物

SECTION **3** 自然科学 **11** 生物

1 カンアオイやブナのような陰生植物は、呼吸量が少なく補償点が低いので、弱い光でも光合成が呼吸を上回り生存できる。

2 クロロフィルやカロテノイドなどの光合成色素が特異的に吸収する光の色は緑や黄色であり、それ以外の色は吸収しない。

3 光合成細菌はカルビン・ベンソン回路によって二酸化炭素を固定するが、このとき必要な水素は水から得ているため、植物と同様に酸素を放出する。

4 温度を高くしても光合成速度は変化しないが、光を強くすると光合成速度が大きくなる場合、光合成速度は温度によって制限されている。

5 呼吸による二酸化炭素の発生量と、光合成による二酸化炭素の吸収量がつり合ったときの光の強さを光飽和点という。

重要度	🔔 🔔 🔔	解答時間	**2分**	**正解**	**1**

解説 ➡ **光─光合成曲線や限定要因を理解しておこう。**

○ **1** 陰生植物は補償点や光飽和点が低いので、弱い光でも生育できる。

✕ **2** 光合成に有効な光は赤色光と青紫色光で、緑色や黄色の光はほとんど吸収されないで反射するため、葉は緑色に見える。

✕ **3** 光合成細菌は、必要な水素を水ではなく、硫化水素などから得ているため、酸素を放出しない。

✕ **4** 光の強さの影響を受けているので、光の強さが限定要因となる。

✕ **5** この場合の光の強さを補償点という。光飽和点とは、光がある強さ以上になって光合成速度が一定になるときの光の強さのこと。

7 寄生の関係にある生物の組み合わせとして、最も妥当なのはどれか。

1 ア　リ　　　　 ― 　アブラムシ
2 キリン　　　　 ― 　シマウマ
3 コバンザメ　 ― 　サ　メ
4 ノ　ミ　　　　 ― 　ネ　コ
5 ゾウリムシ　 ― 　ヒメゾウリムシ

| 重要度 | 💡💡 | 解答時間 | **1分** | **正解** | **4** |

解説 個体群間の相互作用を、代表例を含めて整理しよう。

✕**1** アリとアブラムシは、相利共生の関係にある。
✕**2** キリンとシマウマは、中立の関係にある。
✕**3** コバンザメとサメは、片利共生の関係にある。
○**4** ノミはネコに寄生して生活している。
✕**5** ゾウリムシとヒメゾウリムシは、競争（種間競争）の関係にある。

まとめて チェック！

●個体群間の相互作用を理解しよう

相互作用		特徴
競争（種間競争）		生活場所や食物が似た異種個体群間に見られる
共生	相利共生	共存することで互いに利益を受ける
	片利共生	共存することで一方だけが利益を受ける
寄生		寄生者は宿主の体内や体表で生活し、宿主に害を及ぼす
中立		共存しても互いに影響がない

過去 ❶ **化学結合に関する記述として、最も妥当なのはどれか。**

① ナトリウム中のNa原子どうしを結びつけているのは、イオン結合である。

② ダイヤモンドなどの金属結合の結晶は、硬くて融点の高いものが多い。

③ 塩化ナトリウム中のNa原子とCl原子を結びつけている結合は、共有結合である。

④ イオン結晶は、固体の状態では電気を通さず、液体や水溶液では電気を通す。

⑤ 自由電子を共有することによる結合を共有結合といい、熱や電気の伝導性が大きい。

重要度	🔔 🔔 🔔	解答時間	2分	正解	4

解説 ▶ **イオン結合・共有結合・金属結合の違いを押さえよう。**

×① ナトリウム中のNa原子どうしの結合は金属結合。

×② ダイヤモンド中のC原子どうしの結合は共有結合。

×③ 塩化ナトリウム中のNa原子とCl原子の結合はイオン結合。

○④ イオン結晶は、液体の状態や水溶液中ではイオンに電離するため、電気を通すようになる。

×⑤ 自由電子を共有することによる結合は金属結合。共有結合では価電子を共有する。

まとめて チェック！

●イオン結合・共有結合・金属結合の特徴をまとめよう

化学結合	特徴	例
イオン結合	・陽イオンと陰イオンとが静電気力によって引き合ってできる ・イオン結晶の物質は、固体は電気を通さないが、液体や水溶液になると電気を通す	塩化ナトリウム・酸化カルシウム・水酸化ナトリウム
共有結合	・2つ以上の原子間でそれぞれの価電子を共有することで**安定した電子配置**になる	水素・酸素・水・アンモニア・ダイヤモンド
金属結合	・金属内を自由に動き回る**自由電子**を共有することでできる ・**自由電子**によって、熱や電気をよく通す	鉄・銅・ナトリウム・マグネシウム

A～Eのうち、互いに同素体の関係にあるもののみを選んだ組み合わせとして、最も妥当なのはどれか。

A　一酸化炭素と二酸化炭素
B　メタンとエタン
C　黒鉛とダイヤモンド
D　水素と重水素
E　酸素とオゾン

1　A、B
2　B、C
3　C、D
4　C、E
5　D、E

重要度	🔔 🔔 🔔	解答時間	2分	正解	4

解説 ▶ **同素体は1種類の元素からできた単体であることに注目。**

✕ A　一酸化炭素（CO）と二酸化炭素（CO_2）は、それぞれ2種類の元素からできている。

✕ B　メタン（CH_4）とエタン（C_2H_6）は、それぞれ2種類の元素からできている。

○ C　黒鉛とダイヤモンドは、どちらも炭素原子のみからできた単体であるので、同素体の関係になる。

✕ D　水素（$_1^1H$）と重水素（$_1^2H$）は、陽子の数は同じであるが中性子の数が違う同位体である。

○ E　酸素（O_2）とオゾン（O_3）は、どちらも酸素原子のみからできた単体であるので、同素体の関係による。

3 次のア〜エに該当する金属の組み合わせとして、最も妥当なのはどれか。

ア　銀白色の金属光沢をもち、金属のなかで最もよく電気や熱を導く。また、この金属の化合物は感光性があるので、写真のフィルムに用いられている。

イ　酸化物を融解塩電解することで得られる金属である。この金属にMgやMnなどを混ぜ合わせた合金をジュラルミンという。

ウ　常温で唯一の液体金属である。この金属は白金以外の多くの金属を溶かして合金をつくりやすく、これをアマルガムという。

エ　酸化物を溶鉱炉でCOやコークスにより還元して得られる。この金属にCr、Niを混ぜてつくった合金はステンレス鋼といわれ、錆びにくいという特徴をもつ。

	ア	イ	ウ	エ
1	Cu	Zn	Hg	Fe
2	Cu	Zn	Cu	Al
3	Ag	Zn	Hg	Al
4	Ag	Al	Hg	Fe
5	Ag	Al	Zn	Fe

重要度	💡 💡	解答時間	2分	正解	4

解説　代表的な金属の特徴を覚えておこう。

ア　選択肢にはCu（銅）とAg（銀）があるが、銀白色なのはAg。

イ　融解塩電解することで得られる金属はAl（アルミニウム）。

ウ　常温で液体の金属はHg（水銀）のみ。

エ　Fe（鉄）とAl（アルミニウム）のうち、溶鉱炉で還元して得られる金属はFe。

気体の法則に関する次の記述の　A　～　D　にあてはまる語句の組み合わせとして、最も妥当なのはどれか。

　温度を一定に保ったまま一定質量の気体にかかる圧力を変化させると、気体の体積は圧力に　A　して変化する。これを　B　という。

　また、圧力を一定に保ったまま一定質量の気体の温度を変化させると、気体の体積は絶対温度に　C　して変化する。これを　D　という。

	A	B	C	D
1	反比例	ボイルの法則	比例	シャルルの法則
2	反比例	シャルルの法則	比例	ボイルの法則
3	比例	ボイルの法則	反比例	シャルルの法則
4	比例	シャルルの法則	反比例	ボイルの法則
5	比例	シャルルの法則	比例	ボイルの法則

重要度	🔔🔔🔔	解答時間	**2分**	正解	**1**

解説 **気体の法則をマスターしよう。**

温度が一定のとき、一定量の気体の体積はその気体の圧力に反比例する。これをボイルの法則という。

また、圧力が一定のとき、一定量の気体の体積は絶対温度に比例する。これをシャルルの法則という。

5 プロパンC_3H_8 8.8gを完全燃焼させた。発生した二酸化炭素の物質量として、最も妥当なのはどれか。ただし、原子量は$C=12$、$H=1$とする。

1 0.10mol

2 0.20mol

3 0.40mol

4 0.60mol

5 0.80mol

重要度	☼☼☼	解答時間	3分	正解	4

解説 化学反応式から物質量を求めよう。

プロパンC_3H_8の燃焼の化学反応式は、

$$C_3H_8 + 5\,O_2 \longrightarrow 3\,CO_2 + 4\,H_2O$$

よって、プロパン1 molから3 molの二酸化炭素が発生する。この場合、プロパンの分子量は$12 \times 3 + 1 \times 8 = 44$より、物質量は$8.8 \div 44 = 0.20$〔mol〕。よって、発生した二酸化炭素の物質量は、$0.20 \times 3 = 0.60$〔mol〕

ポイントはココ！

●**化学反応式から物質量を求めよう**

1 **化学反応式をつくる**（矢印の右と左で原子の種類と数を同じにする）

2 与えられた物質の質量から**物質量を求める**（物質量〔mol〕＝物質の質量〔g〕÷分子量）

3 **化学反応式の係数の比**から、求める物質の物質量を考える

左からイオン化傾向の小さい順に金属元素を並べたものとして、最も妥当なのはどれか。

1 スズ ＜水銀 ＜鉛 ＜ニッケル ＜マグネシウム
2 アルミニウム＜水銀 ＜亜鉛 ＜ニッケル ＜白金
3 水銀 ＜亜鉛 ＜ニッケル＜アルミニウム＜ナトリウム
4 カリウム ＜アルミニウム＜鉄 ＜銅 ＜金
5 金 ＜銀 ＜ニッケル＜アルミニウム＜カルシウム

| 重要度 | 🔔🔔🔔 | 解答時間 | **3分** | 正解 | **5** |

解説 ➡ イオン化列を書き出してから考えよう。

✕ **1** 水銀＜鉛＜スズ＜ニッケル＜マグネシウム
✕ **2** 白金＜水銀＜ニッケル＜亜鉛＜アルミニウム
✕ **3** 水銀＜ニッケル＜亜鉛＜アルミニウム＜ナトリウム
✕ **4** 金＜銅＜鉄＜アルミニウム＜カリウム
◯ **5** 正しい。

ポイントはココ！

●語呂合わせでイオン化列を覚えよう （イオン化の大きい方から並べると）

貸そう	か	な	ま	あ	あ	て	に	す	な	ひ	ど	すぎる	借	金
K	Ca	Na	Mg	Al	Zn	Fe	Ni	Sn	Pb	(H)	Cu	Hg	Ag	Pt	Au

7 化学反応に関する次の記述の　ア　、　イ　にあてはまる語句の組み合わせとして、最も妥当なのはどれか。

　化学反応に伴って出入りする熱を反応熱といい、実験で求めることが難しいものは、「物質が化学変化するときの熱量は、変化の前の状態と後の状態だけで決まり、変化の過程には無関係である。」という　ア　を用いて求めることができる。

　例えば、黒鉛と酸素から一酸化炭素が生じる時の生成熱は　ア　を用いて求められる。黒鉛と一酸化炭素の燃焼熱は、実験によりそれぞれ

$$C（黒鉛）+ O_2 = CO_2 + 394kJ \qquad CO + \frac{1}{2} O_2 = CO_2 + 283kJ$$

と求められているので、これより一酸化炭素の生成熱は　イ　と求めることができる。

SECTION ③ 自然科学 12 化学

	ア	イ
1	質量保存の法則	111kJ/mol
2	ヘスの法則	677kJ/mol
3	アボガドロの法則	111kJ/mol
4	質量保存の法則	677kJ/mol
5	ヘスの法則	111kJ/mol

重要度	☀☀☀	解答時間	**3分**	正解	**5**

解説 　**与えられた式から求める式をつくろう。**

出題はヘスの法則。質量保存の法則とは、「化学変化の前後で、その化学変化に関係する物質全体の質量は変化しない」というもの。アボガドロの法則とは、「同温・同圧・同体積の気体の中には同じ数の分子が含まれる」というもの。

$C（黒鉛）+ O_2 = CO_2 + 394kJ$ から　$CO + \frac{1}{2} O_2 = CO_2 + 283kJ$ を引くと、

$C - CO + \frac{1}{2} O_2 = 111kJ$。よって、$C + \frac{1}{2} O_2 = CO + 111kJ$

過去 **1** 初速度 v_0 で真上に投げ上げた物体の速度 v と時間 t のグラフとして、最も妥当なのはどれか。ただし、鉛直上向きを正とする。

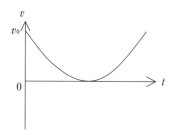

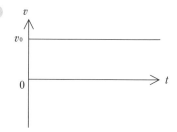

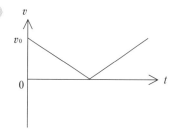

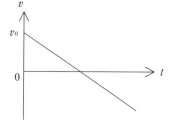

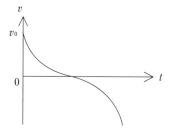

| 重要度 | 🔔 🔔 🔔 | 解答時間 | **3分** | 正解 | **4** |

> **解説** 鉛直投げ上げの式を思い出そう。

初速度 v_0 で真上に投げ上げた物体の時間 t 後の速度 v は、重力加速度を g とすると、物体の運動と重力加速度の向きが逆なので、$v = v_0 - gt$ で表される。よって、速度は一定の割合（$-g$）で減少するので、右下がりのグラフとなる。

ポイントはココ！

●自由落下運動の公式を覚えよう

この3つの公式さえ覚えておけば、鉛直投げ上げの場合にも利用できる。また、$g \rightarrow a$ と変えて等加速度運動にも応用できる。

$$v = gt \qquad y = \frac{1}{2}gt^2 \qquad v^2 = 2gy$$

（v：速さ〔m/s〕、g：重力加速度〔m/s^2〕、t：時間〔s〕、y：移動距離〔m〕）

力を受けている物体には、その力の向きに加速度が生じる。その加速度の大きさは力の大きさに　A　し、物体の質量に　B　する。これを　C　の法則という。

	A	B	C
1	比例	反比例	慣性
2	反比例	反比例	慣性
3	比例	比例	慣性
4	比例	反比例	運動
5	比例	比例	運動

| 重要度 | 💡💡💡 | 解答時間 | 2分 | 正解 | 4 |

解説　運動方程式 $ma = F$ を思い出そう。

A　運動方程式 $ma = F$ を変形すると $a = \dfrac{F}{m}$ となるので、加速度は力の大きさに比例する。

B　運動方程式 $ma = F$ を変形すると $a = \dfrac{F}{m}$ となるので、加速度は質量に反比例する。

C　運動方程式は運動の法則の1つ。慣性の法則とは、「外部から力がはたらかないとき、あるいは力がはたらいていてもつり合っているときは、静止している物体は静止を続け、運動している物体は等速直線運動を続ける」というもの。

3 次の図のように、3本の糸a、b、cをつけた小物体をなめらかで水平な$x-y$平面上に置く。それぞれの糸を、$x-y$面内で図の向きに引いたところ、小物体は原点Oで静止した。糸aが小物体を引く力の大きさを5.0Nとすると、糸bが小物体を引く力の大きさとして、最も妥当なのはどれか。

1 2.5N
2 3.0N
3 4.0N
4 4.3N
5 5.0N

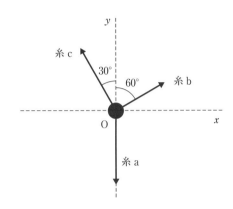

| 重要度 | ☀☀☀ | 解答時間 | 3分 | 正解 | 1 |

解説 糸bと糸cが小物体を引く力の合力を考えよう。

小物体が原点Oで静止したので、糸bと糸cが小物体を引く力の合力は、糸aが小物体を引く力とつり合っている。よって、糸bが小物体を引く力の大きさは、

$$5.0 \times \cos 60° = 5.0 \times \frac{1}{2} = 2.5 \,(N)$$

問題の図は、矢印の長さが正確ではないが、正確に描くと右の図のようになる。

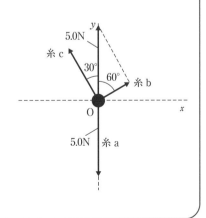

下の図は人がキャリーケースを運び、そのキャリーケースをネコが反対方向に引いている様子を表している。キャリーケースには水平から60°の方向に90［N］の力、摩擦力10［N］、ネコの力F［N］が働き、キャリーケースは一定の速さでまっすぐに人の進行方向に4.0［m］移動した。ネコが物体にした仕事［J］として、最も妥当なのはどれか。

60°

1 −70［J］

2 −140［J］

3 35［J］

4 70［J］

5 140［J］

重要度	💡💡	解答時間	**2分**	**正解**	**2**

解説 ▶ **仕事[J]＝力の大きさ[N]×力の向きに動いた距離[m]**

キャリーケースは一定の速さでまっすぐに移動しているので、等速直線運動をしている。よって、摩擦力とネコの力の合力とキャリーケースを引く力の水平方向の分力がつり合っていて、$10[N] + F[N] = 90[N] \times \frac{1}{2}$より、$F[N] = 35[N]$　ネコの力の向きとキャリーケースの移動の向きは逆向きなので、−4.0[m]移動したと考えられる。よって、ネコが物体にした仕事[J]は、$35 \times (-4.0) = -140$［J］

5 **電流に関する記述として、最も妥当なのはどれか。**

1 磁界の中で電流を流すと、電流は磁界から力を受ける。この原理を利用した
ものがモーターである。

2 電気抵抗は、同じ素材であれば、断面積に比例し長さに反比例する。よって、
同じ長さであれば断面積が大きくなるほど電流が流れにくくなる。

3 電圧の大きさが周期的に変化し、電流の向きが一定の電気を交流といい、一
般家庭では交流の電気が使用されている。

4 誘導電流は、コイルを貫く磁力線の変化を妨げる向きに流れる。これを右ね
じの法則という。

5 回路に流れる電流は、抵抗に比例し電圧に反比例する。これをオームの法則
という。

重要度	💡 💡	解答時間	**2分**	正解	**1**

解説 ▶ **ほとんどが中学校で習う基本的な内容なので、まずは中学の教科書を読み返しておこう。**

○**1** モーターは、2つの永久磁石の間にコイルが入っていて、コイルを流れる電流が磁界から力を受けることで回転する。

✕**2** 電気抵抗は、断面積に反比例し長さに比例する。よって、同じ長さであれば断面積が大きくなるほど電流は流れやすくなる。

✕**3** 交流では、電流の強さと電流の向きが周期的に変化する。

✕**4** 「誘導電流は、コイルを貫く磁力線の変化を妨げる向きに流れる」というのはレンツの法則。右ねじの法則は、「右ねじの進む向きに電流を流すと、右ねじの回る向きに磁界ができる」というもの。

✕**5** 回路に流れる電流は、抵抗に反比例し電圧に比例する。

SECTION **3**
自然科学
13
物理

下の図のように3つの抵抗を接続したときのAB間の合成抵抗として、最も妥当なのはどれか。

1 0.4Ω
2 1.5Ω
3 2.0Ω
4 4.2Ω
5 5.8Ω

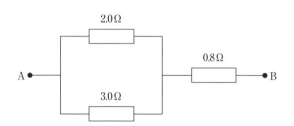

重要度	💡💡💡	解答時間	**3分**	正解	**3**

 解説 まず並列部分の合成抵抗を求めてから、全体の合成抵抗を求めよう。

並列につながれている部分の合成抵抗を R〔Ω〕とすると、$\dfrac{1}{R} = \dfrac{1}{2.0} + \dfrac{1}{3.0}$ より、$R = 1.2$〔Ω〕となる。よって、AB間の合成抵抗は、$1.2 + 0.8 = 2.0$〔Ω〕である。

ポイントはココ！

●**合成抵抗**

R_1〔Ω〕の抵抗と R_2〔Ω〕の抵抗の合成抵抗を R〔Ω〕とする。

・直列回路…$R = R_1 + R_2$
・並列回路…$\dfrac{1}{R} = \dfrac{1}{R_1} + \dfrac{1}{R_2}$

7 焦点距離が8cmの凸レンズがある。レンズから6cmのところにろうそくを置いたとき、ろうそくの像として、最も妥当なのはどれか。ただし、レンズのろうそく側を前方、その反対側を後方とする。

1 レンズから後方24cmのスクリーン上に倒立虚像ができる。
2 後方からレンズをのぞくと正立虚像が見える。
3 レンズから後方8cmのスクリーン上に倒立虚像ができる。
4 レンズから後方24cmのスクリーン上に倒立実像ができる。
5 後方からレンズをのぞくと正立実像が見える。

| 重要度 | ☀☀☀ | 解答時間 | 2分 | 正解 | 2 |

解説 ろうそくの位置と焦点距離の関係からできる像を考えよう。

スクリーンにうつされる像を実像、凸レンズをのぞいたときに見られる像を虚像という。この場合、ろうそくは凸レンズの焦点距離（8cm）よりも内側に置かれているので、スクリーン上に実像はできないが、ろうそくと反対側から凸レンズをのぞくと正立の虚像が見られる。

まとめてチェック！

●物体の位置と焦点距離の関係をまとめよう

物体の位置	像	像の大きさ
焦点距離の2倍より外側	倒立の実像	物体より小さい
焦点距離の2倍	倒立の実像	物体と同じ大きさ
焦点距離の2倍と焦点の間	倒立の実像	物体より大きい
焦点より内側	正立の虚像	物体より大きい

SECTION 3 自然科学 13 物理

147

予想 **1** **ア～エの説明に該当する惑星の組み合わせとして、最も妥当なのはどれか。**

ア　太陽に最も近い惑星で、重力が非常に小さいために大気をもたない。このため、太陽に向いている面の温度はおよそ350℃に達するが、太陽に向いていない面の温度は−160℃まで冷えこむ。

イ　地球のすぐ外側を公転する惑星で、重力が小さいために大気がうすく、表面の温度は−100℃～数℃である。極地方にはドライアイスと氷からなる極冠がある。

ウ　大気の大半は二酸化炭素からなるため、温室効果によって、地表付近の温度は約460℃にも達し、昼夜の温度差はあまりない。明けの明星、宵の明星とよばれる。

エ　太陽系最大の惑星。表面には赤道に平行なしま模様とほぼ楕円形の大赤斑が見られる。たくさんの衛星が観測されているが、その中でもガリレオ衛星とよばれる4つの衛星が有名。

	ア	イ	ウ	エ
❶	木星	土星	火星	金星
❷	水星	金星	土星	木星
❸	金星	火星	木星	土星
❹	金星	木星	水星	火星
❺	水星	火星	金星	木星

重要度		解答時間	2分	正解	5

解説 太陽からの惑星の順番や惑星の特徴を覚えよう。

ア　太陽に最も近いところを公転している惑星は水星。地球の約7倍もの太陽のエネルギーを受けとっている。大気がないために昼夜の温度差が非常に大きい。

イ　地球のすぐ外側を公転している惑星は火星。このほかに、液体の水が存在していたと推定される地形が見られるなどの特徴もある。

ウ　明けの明星、宵の明星とよばれるのは金星。二酸化炭素には、地表から放射される熱を吸収し、気温の低下を防ぐ働き（温室効果）があるため、金星は昼夜の温度差があまりない。

エ　太陽系最大の惑星は木星。赤道半径は地球の約11倍、質量は地球の約320倍にもなる。

 ポイントはココ！

●**太陽からの順番を覚えよう**

太陽から近い順に、水星→金星→地球→火星→木星→土星→天王星→海王星となるので、頭の1字をとって、**水・金・地・火・木・土・天・海（すい・きん・ち・か・もく・ど・てん・かい）**と覚えよう。

SECTION ③ 自然科学 14 地学

地層の地質年代を推定するのに有効な化石を示準化石とよぶが、地質年代とその示準化石の組み合わせとして、最も妥当なのはどれか。

	古生代	中生代	新生代
①	サンヨウチュウ	フズリナ	メタセコイア
②	アンモナイト	デスモスチルス	ビカリア
③	三角貝	始祖鳥	サンヨウチュウ
④	フズリナ	アンモナイト	ナウマンゾウ
⑤	デスモスチルス	メタセコイア	マンモス

重要度		解答時間	2分	正解	4

解説 地質年代とその代表的な示準化石をしっかり覚えておこう。

✕ ① フズリナは古生代の示準化石。

✕ ② アンモナイトは中生代、デスモスチルスは新生代の示準化石。

✕ ③ 三角貝は中生代、サンヨウチュウは古生代の示準化石。

◯ ④ ナウマンゾウは新生代第四紀の示準化石。

✕ ⑤ デスモスチルス、メタセコイアは新生代の示準化石。

まとめて チェック！

●それぞれの地質時代の代表的な示準化石をおさえよう

地質時代	代表的な示準化石
古生代	サンヨウチュウ・フズリナ・フデイシ・ウミユリ
中生代	アンモナイト・始祖鳥・三角貝・恐竜
新生代	ビカリア・ナウマンゾウ・デスモスチルス・マンモス

地震に関する記述として、最も妥当なのはどれか。

1 地震のとき、最初に感じる小さなゆれはS波によるもので、あとからくる大きなゆれはP波によるものである。

2 震源が海底にあるときには、高波に注意する必要がある。

3 震源からの距離が近いほど、初期微動継続時間は長くなる。

4 震度とは、観測地点における地震のゆれの大きさを表し、日本では8段階に分けられている。

5 マグニチュードとは、地震そのものの規模を表し、マグニチュードが1大きくなると、地震のエネルギーは約32倍の大きさになる。

重要度	🔔 🔔 🔔	解答時間	2分	正解	5

解説 ▶ **地震波や震度・マグニチュードについて整理しておこう。**

✕ **1** 地震波にはP波（Primary Wave）とS波（Secondary Wave）の2つがあり、最初に感じる小さなゆれ（初期微動）はP波によるもの、あとからくる大きなゆれ（主要動）はS波によるものである。

✕ **2** 高波は、台風の接近などの際に強い風が吹くことによって生じる高さの高い波のこと。大きな地震の際、海底に震源があるときに発生する可能性があるのは津波である。

✕ **3** 初期微動継続時間はS波の到着時刻－P波の到着時刻で求められる。震源からの距離が遠いほど、この差は大きくなる。

✕ **4** 震度は0〜7で表され、震度5と6はそれぞれ弱・強の2つに分けられているので、全部で10段階になる。

◯ **5** 地震のエネルギーは、マグニチュードが1大きくなると約32倍、2大きくなると約1000倍になる。

温帯低気圧に関する文章中の　A　～　E　に入る語句の組み合わせとして、最も妥当なのはどれか。

　温帯低気圧の西側では寒気が暖気の下にもぐりこんで　A　前線が形成され、東側では暖気が寒気の上をはい上がって　B　前線が形成される。一般に、寒気のほうが暖気よりも移動速度がはやいので、しだいに　C　前線が　D　前線に追いついて　E　前線が形成されていき、やがて低気圧は消滅する。

	A	B	C	D	E
1	寒冷	温暖	寒冷	温暖	閉塞
2	寒冷	温暖	温暖	寒冷	停滞
3	温暖	寒冷	寒冷	温暖	閉塞
4	温暖	寒冷	寒冷	温暖	停滞
5	温暖	寒冷	温暖	寒冷	閉塞

重要度	🚨 🚨 🚨	解答時間	2分	正解	1

解説 ▶ **4つの前線のでき方とその特徴を理解しよう。**

A　寒気が暖気の下にもぐりこんで暖気を押し上げながら進むときにできるのは寒冷前線。激しい上昇気流によって、積乱雲など垂直に発達する雲を伴うため、前線の通過に伴って、激しい雨が短時間降る。

B　暖気が寒気の上をはい上がって進むときにできるのは温暖前線。ゆるやかな上昇気流によって、乱層雲など層状に発達する雲を伴うため、前線の通過に伴って、おだやかな雨が降り続く。

C・D・E　寒冷前線はしだいに温暖前線に接近し、やがて2つの前線は衝突し、閉塞前線ができる。停滞前線は梅雨の時期などに見られ、寒気と暖気の勢力が等しく、ほとんど動かない状態のときにできる。

5 日本の天気に関する記述として、最も妥当なのはどれか。

1 冬にはシベリア気団が発達して西高東低の気圧配置となり、北東の季節風が吹き、日本海側は雪、太平洋側では晴れの日が続く。

2 春や秋には移動性高気圧が偏西風によって日本付近を通過するため、安定した晴れの日が続く。

3 夏や秋の初めには、オホーツク海気団とシベリア気団の勢力がつり合い、間に停滞前線ができ、ぐずついた天気が続く。

4 夏には小笠原気団が発達して南高北低の気圧配置となり、南東の季節風が吹き、蒸し暑い日が続く。

5 南方海上で発生した熱帯低気圧が発達し、風速が17.2m／秒以上になったものを台風という。台風は前線を伴わず、中心付近では激しい上昇気流によって雲がない部分が生じることがあり、これを台風の目という。

| 重要度 | 🚨🚨🚨 | 解答時間 | **2分** | 正解 | **4** |

解説 **日本の天気に影響を与える気団や季節の天気の特徴をおさえよう。**

✗ **1** 冬に吹く季節風の向きは北西である。

✗ **2** 春や秋には、日本付近を移動性高気圧と低気圧が交互に通過するため、天気が周期的に変わる。

✗ **3** 夏や秋の初めには、オホーツク海気団と小笠原気団の勢力がつり合い、間に停滞前線ができる。

◯ **4** 小笠原気団は高温・湿潤であるので、そこから吹く季節風は温度が高く湿っている。

✗ **5** 前半部分の説明は正しい。台風の中心付近では下降気流が生じ、雲が消えてしまう。上昇気流があるところでは雲ができやすい。

数学

● 2次方程式、2次方程式の解の公式、2次関数はよく出題されます。
●高校までの公式はしっかり復習して臨んでください。

生物

●人のからだ（脳、血液、内臓など）に関する問題は頻出度が高いです。
●遺伝や光合成についても、もう一度確認しておきましょう。

化学

●気体の法則や化学反応式はよく復習しておいてください。
●高校の教科書の総まとめが必要です。

物理

●自由落下運動や電流、電圧、抵抗などの電気に関する基本知識は頻出です。
●運動の法則や慣性の法則などの法則の整理も怠らないように。

地学

●気象や地震についてよく出題されます。
●太陽や惑星に関する問題も基本を整理しておきましょう。

SECTION

4

一般知能

現代文や英文の内容把握が求められます。
また、数学的要素のある計算問題や図形やグラフから読み解く問題は、すばやく解くコツをつかむことが必要です。

※本書では、従来「数的推理」としていたものを「数的処理」と名称
　を変更しました。

15 文章理解

　日本人は西洋人のように自然と人間とを別々に切離して対立させるという云わば物質科学的の態度をとる代りに、人間と自然とを一緒にしてそれを一つの全機的な有機体と見ようとする傾向を多分にもっているように見える。少し言葉を変えて云ってみれば、西洋人は自然というものを道具か品物かのように心得ているのに対して、日本人は自然を自分に親しい兄弟かあるいはむしろ自分のからだの一部のように思っているとも云われる。また別の云い方をすれば西洋人は自然を征服しようとしているが、従来の日本人は自然に同化し、順応しようとして来たとも云われなくはない。極めて卑近の一例を引いてみれば、庭園の作り方でも一方では幾何学的の設計図によって草木花卉を配列するのに、他方では天然の山水の姿を身辺に招致しようとする。

　この自然観の相違が一方では科学を発達させ、他方では俳句という極めて特異な詩を発達させたとも云われなくはない。

1　日本人は西洋人と違って、自然と人間とを別々に切離して対立させている。

2　西洋人は自然というものを道具か品物かのように心得て、自然を愛する心がない。

3　自然を征服しようとしている西洋人と、自然に同化し、順応しようとしている日本人は、価値観が違うのでお互いに理解することができない。

4　同じ庭園の作り方でも、一方は幾何学的に設計するのに比べ、他方は天然の山水風のものを設計するなど、時代によって美意識が異なる。

5　自然を征服しようとする西洋では科学が発達し、自然と同化しようとする日本では俳句という特異な詩が発達したというように、自然観の相違が異なる文化を作っている。

解説 　出典は、物理学者であり、夏目漱石の弟子でもあった寺田寅彦の『俳句の精神』。日本文化論、あるいは日本文化と欧米文化の比較論は出題されることが多いが、寺田寅彦の書いたものは今でも通用する普遍性をもっている。

✕ ❶ 「自然と人間とを別々に切離して対立させる」のは、日本人ではなく西洋人である。

✕ ❷ 「西洋人は自然というものを道具か品物かのように心得て」いるが、それは西洋人の自然の見方であって、だから自然を愛していないとはいっていない。

✕ ❸ 西洋人と日本人は自然に対する価値観は違うが、だからお互いに理解できないとはいっていない。

✕ ❹ 時代によって美意識が異なるとはいっていない。日本と西洋の自然観の相違に着目している。

○ ❺ 著者は、日本と西洋の自然観の相違が異なる文化を発達させたことに関心をもっている。

まとめて チェック！

●文明論に目を通しておこう

　かつては西洋の「罪の文化」と日本の「恥の文化」を対比させた、ルース・ベネディクトの『菊と刀』がよく引用されたが、最近はイスラム圏やロシアを例に取って、異なる文明の衝突が対立を生みだすと論じた**サミュエル・ハンチントン**の『**文明の衝突**』が引用されることが多い。

　今は昔、小野 篁 といふ人おはしけり。嵯峨帝の御時に、内裏に札を立てたり
けるに、「無悪善」と書きたりけり。帝、篁に、「読め」と仰せられたりければ、「読
みは読み候ひなん。されど恐れにて候へば、え申し候はじ」と奏しければ、「た
だ申せ」とたびたび仰せられければ、「さがなくてよからんと申して候ふぞ。さ
れば君を呪ひ参らせて候ふなり」と申しければ、「おのれ放ちては誰か書かん」
と仰せられければ、「さればこそ、申し候はじとは申して候ひつれ」と申すに、
御門、「さて何も書きたらん物は読みてんや」と仰せられければ、「何にても読み
候ひなん」と申しければ、片仮名の子文字を十二書かせて給ひて、「読め」と仰
せられければ、「ねこの子のこねこ、ししの子のこじし」と読みたりければ、御
門ほほゑませ給ひて、事なくてやみにけり。

＊放つ……除外する。
＊片仮名の子文字……当時は片仮名の「ネ」の他に漢字の「子」の字を用いた。

1　内裏に立てられた立て札に書かれた「無悪善」は、嵯峨天皇を称える内容だっ
　た。

2　嵯峨天皇は立て札を書いた犯人を小野篁がかばっていると考えた。

3　小野篁が立て札に書かれた字を最初は読もうとしなかったのは、読めば自分
　が書いたと疑われるからである。

4　小野篁は嵯峨天皇に「どんなものでも読めるか」と聞かれて、「どんなもの
　でも読めるわけではない」と答えた。

5　嵯峨天皇は子の文字を12個並べたものを篁が機知を働かせて見事に読んだの
　で、大変腹を立てた。

重要度		解答時間	3分	正解	3

解説 『宇治拾遺物語』にある、嵯峨天皇が小野篁を疑い、難題を押し付けて篁を試したという話「小野篁の広才の事」である。2人の心理と言葉遊びを読み取ることがカギ。

× **1** 立て札の内容は「嵯峨なくて善からん」で、嵯峨天皇を呪う内容となっていた。

× **2** 嵯峨天皇は篁自身が立て札を書いたのではないかと疑っていた。

○ **3** 嵯峨天皇は、「お前以外に誰が書くだろうか」と言った。

× **4** 篁は「どんなものでも読みましょう」と答えた。

× **5** 嵯峨天皇は、微笑み、何事もなく終わった。

SECTION **4** 一般知能 **15** 文章理解

[現代語訳]

　今となっては昔のことだが、小野篁（平安時代の歌人・漢詩人）という人がおられた。嵯峨天皇の御代（809～823年）に内裏に立て札を立てた者がおり、それには「無悪善」と書いてあった。天皇が篁にこれを「読め」とおっしゃったので、篁が「読むことは読みましょう。しかしながら畏れ多い内容なので、あえて申し上げますまい」と申し上げると、「とにかく申せ」とたびたびおっしゃったので、「『悪（さが／嵯峨天皇）無くて善からん（嵯峨天皇がいなければ善いだろう）』と申しておりますぞ。つまり、天皇を呪い申しているのです」と申し上げた。すると、「お前以外に誰が書くだろうか」とおっしゃったので、「そう思われると思ったから、申し上げますまいと申したのです」と申し上げると、「では、どんなものでも書かれたものは読めるのか」とおっしゃる。それで、「どんなものでも読みましょう」と申し上げると、片仮名の子という文字を十二お書かせになって、「読め」とおっしゃるので、「猫の子の子猫、獅子の子の子獅子」と読むと、天皇は微笑まれて、何事もなく終わったのだった。

　そこであんまり一ぺんに云ってしまって悪いけれどもなめとこ山あたりの熊は小十郎をすきなのだ。

　その証拠には熊どもは小十郎がぼちゃぼちゃ谷をこいだり谷の岸の細い平らないっぱいにあざみなどの生えているとこを通るときはだまって高いとこから見送っているのだ。木の上から両手で枝にとりついたり崖の上で膝をかかえて座ったりしておもしろそうに小十郎を見送っているのだ。

　まったく熊どもは小十郎の犬さえすきなようだった。けれどもいくら熊どもだってすっかり小十郎とぶっつかって犬がまるで火のついたまりのようになって飛びつき小十郎が眼をまるで変に光らして鉄砲をこっちへ構えることはあんまりすきではなかった。そのときは大ていの熊は迷惑そうに手をふってそんなことをされるのを断わった。

　けれども熊もいろいろだから気の烈しいやつならごうごう咆えて立ちあがって、犬などはまるで踏みつぶしそうにしながら小十郎の方へ両手を出してかかって行く。小十郎はぴったり落ち着いて樹をたてにして立ちながら熊の月の輪をめがけてズドンとやるのだった。

　すると森までががあっと叫んで熊はどたっと倒れ赤黒い血をどくどく吐き鼻をくんくん鳴らして死んでしまうのだった。小十郎は鉄砲を木へたてかけて注意深くそばへ寄って来て斯う云うのだった。

　「熊。おれはてめえを憎くて殺したのでねえんだぞ。おれも商売ならてめえも射たなけゃならねえ。ほかの罪のねえ仕事していんだが畑はなし木はお上のものにきまったし里へ出ても誰も相手にしねえ。仕方なしに猟師なんぞしるんだ。てめえも熊に生れたが因果ならおれもこんな商売が因果だ。やい。この次には熊なんぞに生れなよ。」

　そのときは犬もすっかりしょげかえって眼を細くして座っていた。

　何せこの犬ばかりは小十郎が四十の夏うち中みんな赤痢にかかってとうとう小十郎の息子とその妻も死んだ中にぴんぴんして生きていたのだ。

　それから小十郎はふところからとぎすまされた小刀を出して熊の顎のとこから胸から腹へかけて皮をすうっと裂いて行くのだった。それからあとの景色は僕は大きらいだ。けれどもとにかくおしまい小十郎がまっ赤な熊の胆をせなかの木のひつに入れて血で毛がぼとぼと房になった毛皮を谷であらってくるくるまるめせなかにしょって自分もぐんなりした風で谷を下って行くことだけはたしかなのだ。

＊因果……不幸なめぐり合わせ。
＊僕……語り手。
＊熊の胆……かつては漢方薬として健胃薬、鎮痛剤、解熱剤などに使われた。

1 気性が烈しくて人間に向かってくるような熊は殺されても当然だ。

2 できることなら殺生はしたくはないが、畑も山ももっていないので、食べて
いくためにはしかたがない。

3 熊はすきだから、熊が自分に向かってさえこなければ仲よくできるのに。

4 かわいそうだが、熊に生れたのが因果なのだ。自分は人間に生れてよかった。

5 熊の胆や毛皮をほしいという人がいるから猟をしているのであって、殺生を
しても自分の罪ではない。

| 重要度 | 🔅 🔅 | 解答時間 | 3分 | 正解 | 2 |

解説 出典は宮沢賢治の『なめとこ山の熊』。仏教に帰依していた賢治が、殺生はしたくないが生きるために殺生をしなければいけない猟師の葛藤を描いた作品。グリーンピースの反捕鯨運動などとからめて出題されそうなテーマといえる。

×**1** 熊は鉄砲を向けられるから向かってくるのであって、何もしない小十郎を襲うわけではないし、小十郎も、殺して当然とは思っていない。

○**2** 畑も山ももたず、猟師をする以外に生活の手段のない小十郎の苦悩を読み取ろう。

×**3** 小十郎は熊を殺さなければ食べていけないので、熊が向かってこなくても殺すしかない。

×**4** 小十郎は「おれもこんな商売が因果だ」と言っていて、人間に生れたが自分も熊と同じく不運だと考えている。

×**5** 「おれもこんな商売が因果だ」と言っていることから、小十郎が殺生をすることに罪の意識をもっていることが分かる。

　終戦後、我々はあらゆる自由を許されたが、人はあらゆる自由を許されたとき、自らの不可解な限定とその不自由さに気づくであろう。人間は永遠に自由では有り得ない。なぜなら人間は生きており、また死なねばならず、そして人間は考えるからだ。政治上の改革は一日にして行われるが、人間の変化はそうは行かない。遠くギリシャに発見され確立の一歩を踏みだした人性が、今日、どれほどの変化を示しているであろうか。

　人間。戦争がどんなすさまじい破壊と運命をもって向うにしても人間自体をどう為しうるものでもない。戦争は終った。特攻隊の勇士はすでに闇屋となり、未亡人はすでに新たな面影によって胸をふくらませているではないか。人間は変りはしない。ただ人間へ戻ってきたのだ。人間は堕落する。義士も聖女も堕落する。それを防ぐことはできないし、防ぐことによって人を救うことはできない。人間は生き、人間は堕ちる。そのこと以外の中に人間を救う便利な近道はない。

　戦争に負けたから堕ちるのではないのだ。人間だから堕ちるのであり、生きているから堕ちるだけだ。だが人間は永遠に堕ちぬくことはできないだろう。なぜなら人間の心は苦難に対して鋼鉄のごとくでは有り得ない。人間は可憐であり脆弱であり、それ故愚かなものであるが、堕ちぬくためには弱すぎる。人間は結局処女を刺殺せずにはいられず、*武士道をあみださずにはいられず、*天皇を担ぎださずにはいられなくなるであろう。だが他人の処女でなしに自分自身の処女を刺殺し、自分自身の武士道、自分自身の天皇をあみだすためには、人は正しく堕ちる道を堕ちきることが必要なのだ。そして人のごとくに日本もまた堕ちることが必要であろう。堕ちる道を堕ちきることによって、自分自身を発見し、救わなければならない。政治による救いなどは上皮だけの愚にもつかない物である。

＊処女を刺殺する……美しいものを美しいままで終わらせたいという日本人特有の心情の譬え。「聖女」や「未亡人」の堕落と対応する。

＊武士道をあみだす……武人が自分や部下の弱点を抑えるために武士道を考え出した。「特攻隊の勇士」や「義士」の堕落と対応する。

＊天皇を担ぎだす……権力を握ろうとする貴族や武士が自己の永遠の隆盛を確保するために、天皇制を作りだしたことをいう。

1 　人間は生きているし、死んだり、考えたりして変化することから、一時、あらゆる自由を許されたとしても、永遠に自由では有り得ない。

2 　どんな義士や聖女であろうと、人間である以上、堕落することを防ぐことはできない。人間とはだめな生き物である。

3 　人間は可憐であり、脆弱なので、永遠に堕ちぬくことはできない。だから、処女を刺殺したり、武士道をあみだしたり、天皇を担ぎだしたりして、堕落に歯止めをかけようとしたが、それが堕落した日本人を救う最適の方法である。

4 　人間は堕ちるものであるが、人も日本も、自分自身の処女を刺殺し、自分自身の武士道や天皇をあみだすために正しく堕ちる道を堕ちきることが必要で、それによって自分自身を発見し、救わなければならない。

5 　人間は永遠に堕ちぬくことなどできないから、政治による救いが必要である。

重要度	🔔🔔🔔	解答時間	**4分**	正解	**4**

解説 ▶ **出典は坂口安吾の『堕落論』。要旨は最後の段落にまとめられていることが多い。**

✕ **1** 　この内容は本題に入る前の序の部分であり、全体の要旨とはいえない。

✕ **2** 　著者は人間が堕落することを受け入れており、否定はしていない。「生きているから堕ちる」と書いていることに注意。

✕ **3** 　他人の作った武士道などではなく、「自分自身の処女を刺殺し、自分自身の武士道、自分自身の天皇をあみだす」ことが必要だと説いている。

○ **4** 　最終段落に結論が明示されている。

✕ **5** 　最後の一文で、「政治による救い」は否定されている。

ポイントはココ！

●要旨はこの手順でつかむ

①各段落で何をいっているか、考える。
②各段落の内容がどうつながっているかをつかむ。
③結論は何かを考える。

　蝶めづる姫君の住みたまふかたはらに、按察使の大納言の御むすめ、心にくく＊なべてならぬさまに、親たちかしづきたまふこと限りなし。

　この姫君ののたまふこと、「人々の、花、蝶やとめづるこそ、はかなくあやしけれ。人は、まことあり、＊本地たづねたるこそ、心ばへをかしけれ」とて、よろづの虫の恐ろしげなるを取り集めて、「これが成らむさまを見む」とて、さまざまなる籠箱どもに入れさせたまふ。中にも「烏毛虫の、心深きさましたるこそ心にくけれ」とて、明け暮れは、＊耳はさみをして、手のうらにそへふせて、＊まぼりたまふ。

　若き人々はおぢ惑ひければ、男の童の、ものおぢせず、＊いふかひなきを召し寄せて、箱の虫どもを取らせ、名を問ひ聞き、いま新しきには名をつけて興じたまふ。

　「人はすべて、つくろふところあるはわろし」とて、眉さらに抜きたまはず、歯黒め、「さらにうるさし、きたなし」とて、つけたまはず、いと白らかに笑みつつ、この虫どもを、朝夕べに愛したまふ。

＊なべてならず……なみなみでない。

＊本地……本来の姿。

＊耳はさみ……額髪を垂れ下げないで耳に挟むこと。

＊まぼる……守る。

＊いふかひなき……取るに足りない。

①　蝶や花のようにはかなく美しいものこそすばらしい。

②　上辺だけ見るのでなく、物の本来の姿を追い求めるような人に心ひかれる。

③　毛虫が何か企んでいるような様子は憎たらしい。

④　眉の形を整えたり、お歯黒をつけるなどしてお化粧しないと、汚く見える。

⑤　お化粧には時間がかかり、虫の世話をするのに差し障りがあるので、眉毛を抜いたり、お歯黒をつけるようなことはしたくない。

| 重要度 | 🔔🔔 | 解答時間 | 3分 | 正解 | 2 |

解説 ➡ 出典は『堤中納言物語』の「虫めづる姫君」。

✕ ① 虫めづる姫君は蝶や花をもてはやす人をあさはかだと考えている。
○ ② 姫君が虫を可愛がるのは、虫が成長するという生態、つまり「本地」を追究しているからである。
✕ ③ 「心にくし」は「奥ゆかしい」の意。姫君は毛虫に興味津々である。
✕ ④ 姫君は、眉を抜いたりお歯黒をつけたりすることを「きたなし」、見苦しいと考えている。
✕ ⑤ 姫君は物事を取りつくろうのはよくないとし、眉を抜いたりお歯黒をつけたりすることはしないのである。

[現代語訳]

　蝶を愛する姫君が住んでいらっしゃる屋敷の隣に、按察使の大納言の姫君が住んでいらっしゃる。奥ゆかしく並々でない様子の姫君で、ご両親はひとかたならぬ可愛がりようで大切に育てていらっしゃる。

　この姫君は「世の人が蝶や花を愛するのは、ほんとうにあさはかでばかげたことです。人間というものは、誠があって、物の本来の姿を追究してこそ、人柄がゆかしく思われるのです」とおっしゃって、さまざまな虫の恐ろしそうな姿をしたものを採集しては、「これが成長する様子を見よう」と、さまざまな虫籠などに入れさせていらっしゃる。その中でも、「毛虫が思慮深そうな様子をしているのが奥ゆかしい」と、朝晩、額から垂らした髪を煩わしそうに耳に挟んで、毛虫を掌の上に乗せ、見守っていらっしゃる。

　若い侍女たちがひどく怖がるので、男の童で、物おじしない、身分の低い者を身近に召して、箱から虫を取りださせたり、虫の名を尋ねたり、新種の虫には名前をつけたりして、面白がっていらっしゃる。

　「人というものはおよそ、取りつくろうところがあるのはよくない」と、眉毛を抜いたりすることなどはいっさいせず、お歯黒も「ほんとうに面倒くさい、見苦しい」とお付けにならない。真っ白な歯を見せて笑いながら、朝に夕にこの虫たちを可愛がっていらっしゃるのである。

　庄兵衛は今喜助の話を聞いて、喜助の身の上をわが身の上に引き比べてみた。喜助は仕事をして給料を取っても、右から左へ人手に渡してなくしてしまうと言った。いかにも哀れな、気の毒な境界である。しかし一転してわが身の上を顧みれば、彼と我との間に、はたしてどれほどの差があるか。自分も上からもらう扶持米を、右から左へ人手に渡して暮らしているに過ぎぬではないか。彼と我との相違は、いわば十露盤の桁が違っているだけで、喜助のありがたがる二百文に相当する貯蓄だに、こっちはないのである。

　さて桁を違えて考えてみれば、鳥目二百文をでも、喜助がそれを貯蓄と見て喜んでいるのに無理はない。その心持ちはこっちから察してやることができる。しかしいかに桁を違えて考えてみても、不思議なのは喜助の欲のないこと、足ることを知っていることである。

　喜助は世間で仕事を見つけるのに苦しんだ。それを見つけさえすれば、骨を惜しまずに働いて、ようよう口を糊することのできるだけで満足した。そこで牢に入ってからは、今まで得がたかった食が、ほとんど天から授けられるように、働かずに得られるのに驚いて、生まれてから知らぬ満足を覚えたのである。

　庄兵衛がいかに桁を違えて考えてみても、ここに彼と我との間に、大いなる懸隔のあることを知った。自分の扶持米で立てて行く暮しは、おりおり足らぬことがあるにしても、たいてい出納が合っている。手いっぱいの生活である。しかるにそこに満足を覚えたことはほとんど無い。常は幸いとも不幸とも感ぜずに過ごしている。しかし心の奥には、こうして暮らしていて、ふいとお役が御免になったらどうしよう、大病にでもなったらどうしようという疑懼がひそんでいて、おりおり妻が里方から金を取り出して来て穴うめをしたことなどがわかると、この疑懼が意識の閾の上に頭をもたげてくるのである。

　一体この懸隔はどうして生じてくるだろう。ただうわべだけを見て、それは喜助には身に係累がないのに、こっちにはあるからだと言ってしまえばそれまでである。しかしそれは謊である。よしや自分が一人者であったとしても、どうも喜助のような心持ちにはなれそうにない。この根底はもっと深い所にあるようだと、庄兵衛は思った。

　庄兵衛はただ漠然と、人の一生というような事を思ってみた。人は身に病があると、この病がなかったらと思う。その日その日の食がないと、食って行かれたらと思う。万一の時に備える蓄えがないと、少しでも蓄えがあったらと思う。蓄

166

えがあっても、またその蓄えがもっと多かったらと思う。かくのごとくに先から先へと考えてみれば、人はどこまで行って踏み止まることができるものやらわからない。それを今目の前で踏み止まって見せてくれるのがこの喜助だと、庄兵衛は気がついた。

＊庄兵衛……高瀬舟で罪人を護送する同心。
＊喜助……弟殺しの罪で島送りになる罪人。
＊二百文……島流しの罪人にお上が与える金。
＊鳥目……銭。
＊疑懼……疑い、おそれること。

1 収入の桁は違っても、右から左へ人手に渡ってなくなってしまう点では、自分の生活と喜助の生活はたいして差はない。
2 喜助は今までは食べていくことさえ大変だったのに、牢に入ってからは天から授かるように食べ物を与えられて満足している。
3 人間は先のことを心配するあまり、常に、今もっているものよりもっと多くのものを望むものである。
4 人間は足ることを知らない貪欲な存在だが、喜助は貪ることを途中で踏み止まって、足るを知ることを見せてくれた。
5 牢に入れられたのに、食べるものを与えられて満足している喜助は不思議な人間である。

重要度	🔔 🔔 🔔	解答時間	4分	正解	4

解説 出典は森鷗外の『高瀬舟』。〜と庄兵衛は気がついた、とあるので、「気がついた」ものは直前の文の中にある。

2・**5**は喜助の言動から庄兵衛が「感じた」こと、**1**・**3**はそこから庄兵衛自身の生活や人生について「考えた」ことである。

Once, a friend of mine told me "you know, your favorite writer in Florida had passed away," which surprised me. I quickly searched the news on the Net. I certainly found some websites that had it on the bulletin boards, but I couldn't confirm if it was true. I checked all major news papers published in Florida. I found no such articles. I decided that the rumor was baseless. This incident taught me to doubt the authenticity of the information put up on the internet.

1 友人は、私の好きな作家の死亡を公式HPで確認した。
2 私は私の好きな作家の死亡を、新聞で確認した。
3 ネットで得られる情報をすべて検閲することはできない。
4 ネットでは、私の好きな作家の死亡は確認できなかった。
5 ネットで得られる情報を冷静に取捨選択できる能力をつちかうべきである。

重要度	🔔 🔔	解答時間	4分	正解	4

解説

surprise　びっくりさせる　　pass away　死亡する　　certainly　確かに
search 〜 on the Net　〜をネット検索する　　bulletin board　掲示板
website　HP（ホームページ）　　rumor　噂　　baseless　根拠がない
authenticity　真正であること、信憑性（真偽）

- ✕ ❶ 友人が私の好きな作家の死亡を公式ホームページで確認したという記述は本文にない。
- ✕ ❷ 本文では、私の好きな作家の死亡のニュースは新聞に載っていなかったとある。
- ✕ ❸ ネットで得られる情報をすべて検閲することはできないという記述は本文にない。
- 〇 ❹ ネットでは死亡の真偽は確認できなかった、とある。
- ✕ ❺ ネットで得られる情報を冷静に取捨選択できる能力をつちかうべきであるということは書かれていない。

[全訳]

　「お前の好きなフロリダ在住の作家が死んだってな」。友人に言われびっくりしたことがある。すぐにネット検索してみた。確かにいくつかの掲示板で死亡したと書かれているのを発見したが本当かどうか確かめられない。フロリダから発行されている主要な新聞すべてを調べた。どこにも記述はなかった。ここで私はこの噂には根拠がないと判断した。この経験で私はネット上の情報の真偽について疑うことを学んだ。

When you are in good health, you take it for granted. But, once you get sick, you really understand how good it is to be healthy and fit.

Caring for one's health is being aware of the value of life. Having such awareness leads to kindness toward others. If we all appreciate human lives, we could never think of wars and terrorism. I hope everyone in the world cares for one's health and that of others. Then, there would be no room for hatred to form.

1 健康に気を配ることは、命の尊さを意識することだ。

2 命の尊さを世界中の人が意識して、戦争やテロ行為をなくしてほしい。

3 戦争やテロ行為は、お互いに対する憎しみが消えないとなくならない。

4 自分の健康は、他者への思いやりの心を持つ上でなくてはならない。

5 お互いの健康に気を配ることで世界中の人々のこころに希望が生まれる。

170

| 重要度 | ☆☆☆ | 解答時間 | 3分 | 正解 | 1 |

解説

take it for granted　当たり前と思う　　　fit　元気な

be aware of ～　～を意識する　　　value of life　命の尊さ

awareness　意識　　　appreciate　真価を認める（尊重する）

think of　考え付く　　　terrorism　テロ行為　　　then　そうすれば

room　余地　　　hatred　憎しみ　　　form　生じる

◯ **1** 健康に気を配ることは、命の尊さを意識することだ、とある。

✕ **2** 本文には世界中の人が健康を大切に思ってほしい、の記述があるが、命の尊さを意識して、戦争やテロ行為をなくしてほしいという記述はない。

✕ **3** 戦争やテロ行為は、お互いに対する憎しみが消えないとなくならない、の記述は本文にない。

✕ **4** 自分の健康は、他者への思いやりの心を持つ上でなくてはならないということは書いていない。

✕ **5** お互いの健康に気を配ることで世界中の人々のこころに希望が生まれるという記述はない。

[全訳]

　健康な時は、それが当たり前のように思う。いったん病気になると、元気なことがどんなにありがたいことか身にしみる。

　健康に気を配ることは命の尊さを意識することだ。この意識を持ち続ければ、人への優しさにつながっていく。相手の命を尊重すれば、戦争やテロ行為には考えが及ばない。世界の誰もが自分と隣人の健康を大切に思ってほしい。そうすれば憎しみは生まれない。

We might have lost something in exchange for the convenient life. Nowadays, we pay for safe drinking water at a store due to urbanization and industrialization. They say it takes several more times to restore nature than destroying it. Nevertheless, we should not give up but make efforts to get good-tasting water once again. In order to do so, we should accept inconveniences and inefficiencies. We depend on nature and what it bestows on us. We should always thank nature and its blessings and search for nature-friendly ways to live.

1 安全な水を飲むために、自然破壊も受け入れなければならない。
2 都市化、工業化により失われた大切なもののひとつに人と自然のつながりがある。
3 破壊された自然の恵みを取り戻すための努力が報われてきている。
4 お店で安全な水が買えるのは都市化、工業化の賜物である。
5 いまや安全な水は買うものとなってしまったが、おいしい水を取り戻す努力をするべきである。

| 重要度 | 🔔 | 解答時間 | 4 分30秒 | 正解 | 5 |

解説▶

something　大事なもの　　　in exchange for　～と交換に
convenient　便利な　　　nowadays　現代では　　　urbanization　都市化
industrialization　工業化　　　restore　元に戻す
nevertheless　それでもなお　　　make efforts　努力する
inconvenience　不便さ　　　inefficiency　非効率
bestow on ～　～に与える

✕ 1 安全な水を飲むために、自然破壊も受け入れなければならない、の記述は本文にない。

✕ 2 本文には都市化、工業化により大切なものが失われたのではとあるが、その失われた大切なもののひとつが人と自然のつながりであるとは書いていない。

✕ 3 破壊された自然の恵みを取り戻すための努力が報われてきている、の記述はない。

✕ 4 お店で安全な水が買えるという表現はあるが、それが都市化、工業化の賜物（結果として生じたよいこと）とは書かれていない。

◯ 5 2行目に、いまや安全な水は買うものとなってしまった、4〜5行目においしい水を取り戻す努力をするべきである、とある。

[全訳]

　私たちは便利な生活をするために、大切なものを失っていたのではないか。都市化や工業化によって、いまや安全な水はお店で買う時代になってしまった。一度壊れた自然を元に戻すには、その何倍もの時間がかかると言われている。だがあきらめず、もう一度おいしい水を手に入れるための努力を私たちはしなければいけないと思う。きれいな水を取り戻すためには多くの不便さや非効率を人間がうけいれなくてはならない。人間は自然の恵みの中で生かされている。感謝の気持ちを忘れず、自然に負担をかけない生活の方法を自ら探していく時である。

過去 **1** 次の図のように、半径１の円Ｏの直径ＡＢの延長上にＢＣ＝１となるように点Ｃをとる。点Ｃから円Ｏに引いた接線の接点を点Ｄとしたとき△ＡＣＤの面積として、最も妥当なのはどれか。

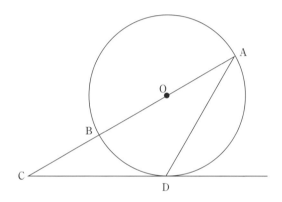

1 $\dfrac{\sqrt{3}}{4}$

2 $\dfrac{3\sqrt{3}}{4}$

3 $\sqrt{3}$

4 $\dfrac{1}{4}$

5 $\dfrac{3}{4}$

| 重要度 | 〰〰 〰〰 | 解答時間 | 3分 | 正解 | 2 |

解説 △ＡＣＤを2つに分けてから面積を求めよう。

右の図のように、点Ｄと点Ｏを
直線で結ぶと、△ＣＤＯは直角
三角形になる。三平方の定理よ
り、$CD^2 = (1+1)^2 - 1^2 = 3$
で、$CD = \sqrt{3}$ となるので、

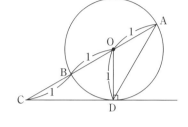

$$\triangle CDO = \frac{1}{2} \times \sqrt{3} \times 1 = \frac{\sqrt{3}}{2}$$

ＣＯを△ＣＤＯの底辺と考えると、△ＣＤＯと△ＡＤＯの高さは共通で、$AO = \frac{1}{2} CO$ より、△ＡＤＯの面積は△ＣＤＯの半分になるので、$\triangle ADO = \frac{\sqrt{3}}{4}$

よって、$\triangle ACD = \triangle CDO + \triangle ADO = \frac{\sqrt{3}}{2} + \frac{\sqrt{3}}{4} = \frac{3\sqrt{3}}{4}$

まとめて チェック！

●**面積の求め方をまとめよう**

三角形の面積：$\frac{1}{2} \times$ 底辺 $\times$ 高さ   平行四辺形の面積：底辺 $\times$ 高さ

台形の面積：$\frac{1}{2} \times$（上底＋下底）$\times$ 高さ   円の面積：円周率 $\times$（半径）^{2}

扇形の面積：$\dfrac{\text{中心角}}{360} \times$ 円周率 $\times$（半径）^{2}

次の図のように、正四面体を3辺の中点を通る平面で切断した。他の3つの頂点においても同様に切断し、切断後の立体の表面積をS_1、切断前の正四面体の表面積をS_2とするときの$S_1 : S_2$の値として、最も妥当なのはどれか。

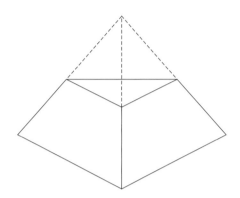

1 1 : 2

2 1 : 3

3 1 : 4

4 2 : 3

5 2 : 5

解説 ➡ 切断されて残る面と切り口の面の数を考えよう。

4つの頂点においてそれぞれ3辺の中点を通る平面で切断すると、図1のような立体になる。

正四面体の1つの面を3つの中点で切断すると、図2のように正三角形が残る。切断前の正四面体の1つの面の面積をSとすると、

図2の正三角形の面積は$\dfrac{S}{4}$となる。

正四面体は4つの面からできているので、このような正三角形が4つできる。

また、切断後、切り口が4つでき、切り口の形と大きさは図2の正三角形と同じになるので、その面積は$\dfrac{S}{4}$である。よって、切断後の立体の表面積は、

$$S_1 = \dfrac{S}{4} \times 8 = 2S$$

一方、切断前の正四面体の表面積は$S_2 = 4S$より、

$$S_1 : S_2 = 2S : 4S = 1 : 2$$

図1

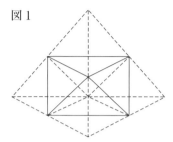

図2

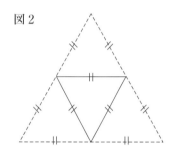

SECTION **4**

一般知能

16

数的処理

177

母線の長さが12cm、底面の半径が3cmの円すいがある。この円すいの底面の円周上の点をAとし、母線OAの中点をMとするとき、Aから出発して側面を1周してMまで至る最短経路の長さとして、最も妥当なのはどれか。

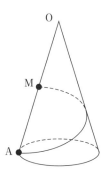

1 　$6\sqrt{3}$cm

2 　12cm

3 　$6\sqrt{5}$cm

4 　$6\sqrt{6}$cm

5 　$6\sqrt{7}$cm

解説 円すいの展開図を考え、最短経路は直線になることを理解しよう。

円すいの展開図は、底面である半径3cmの円と側面である半径12cmの扇形からなる。

底面の円の円周と側面の扇形の弧の長さは等しいので、側面の扇形の中心角を$x°$とすると、

$$2 \times \pi \times 12 \times \frac{x}{360} = 2 \times \pi \times 3 \qquad x = 90$$

よって、側面の扇形は右の図のような形になり、三角形AMOは直角三角形になる。AO = 12〔cm〕、MO = 6〔cm〕なので、三平方の定理より、

$$AM = \sqrt{12^2 + 6^2} = \sqrt{180}$$
$$= 6\sqrt{5}〔cm〕$$

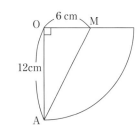

 ポイントはココ！

●**展開図から最短経路を考えよう**

1　展開図を考える（上の場合は円と扇形）
2　2点を直線で結ぶ（最短経路は直線になる）
3　直線の長さを求める（上の場合は三平方の定理を利用）

濃度 5 ％の食塩水500 g から100 g を取り出し、代わりに水100 g を入れてできた食塩水から、さらに100 g を取り出し、代わりに水100 g を入れる。このときできた食塩水の濃度として、最も妥当なのはどれか。

1 2.5％

2 2.7％

3 3.2％

4 3.5％

5 3.7％

重要度	☀ ☀ ☀	解答時間	3分	正解	3

解説 ➤ 残った食塩水に何 g の食塩が含まれているか考えよう。

濃度 5 ％の食塩水500 g から100 g を取り出したとき、残った400 g に含まれる食塩の量は$400 \times \dfrac{5}{100} = 20$〔g〕。ここに水100 g を加えると、食塩水の濃度は、

$\dfrac{20}{400+100} \times 100 = 4$〔％〕。

この食塩水から100 g を取り出したとき、残った400 g に含まれる食塩の量は、

$400 \times \dfrac{4}{100} = 16$〔g〕。ここに水100 g を加えると、食塩水の濃度は、

$\dfrac{16}{400+100} \times 100 = 3.2$〔％〕

5 ある作業を 2 時間で終えるのに、機械 A だけを動かすと 9 台、機械 B だけを動かすと12台必要になる。機械 A を 6 台と機械 B の何台かを同時に動かして同じ作業を 1 時間で終えたいとき、機械 B の台数として、最も妥当なのはどれか。

1 10台
2 12台
3 14台
4 16台
5 18台

| 重要度 | 🔔🔔🔔 | 解答時間 | 3分 | 正解 | 4 |

解説 まずは機械 1 台の 1 時間の作業量を考えよう。

全体の作業量を 1 として考えると、

機械 A　1 台の 1 時間の作業量は、$\dfrac{1}{2} \times \dfrac{1}{9} = \dfrac{1}{18}$

機械 B　1 台の 1 時間の作業量は、$\dfrac{1}{2} \times \dfrac{1}{12} = \dfrac{1}{24}$

機械 A 6 台を 1 時間動かしたときの作業量は、$\dfrac{1}{18} \times 6 = \dfrac{1}{3}$

よって、残りの作業量は、$1 - \dfrac{1}{3} = \dfrac{2}{3}$

機械 B を使って残りの作業を 1 時間でやるには、$\dfrac{2}{3} \div \dfrac{1}{24} = 16$〔台〕必要である。

924の約数のうちで奇数であるものの個数として、最も妥当なのはどれか。

1 8個

2 12個

3 16個

4 20個

5 24個

重要度		解答時間	3分	正解	1

解説 まずは、924を素因数分解しよう。

924を素因数分解すると、右のようになり、

924 = $2^2 \times 3 \times 7 \times 11$

よって、924の約数のうち、奇数であるものは、3、7、11、3×7、3×11、7×11、3×7×11と1の8個となる。

また、3、7、11をそれぞれかけるかかけないかの2通りと考えて、2×2×2＝8〔個〕としても求められる。

```
2)9 2 4
2)4 6 2
3)2 3 1
7)  7 7
     1 1
```

ポイントはココ！

●素因数分解によって約数を求めよう

1 与えられた数を素因数分解する

2 与えられた数を○^{m}×△^{n}×…の形で表す

3 素数を組み合わせて約数を考える

クラブの予算内でジュースを買うことにしたところ、10本買うには80円足りず、9本にすると40円余る。そこで、店の人に頼んで、予算ちょうどで10本買えるように割引きしてもらった。このときの割引率として妥当なのはどれか。ただし、小数点第2位以下は四捨五入する。

1 4.7%

2 5.2%

3 5.6%

4 5.9%

5 6.7%

重要度		解答時間	3分	正解	5

解説 → 線分図を描いて、ジュース1本の値段を考えよう。

10本では80円足りず、9本では40円余るので、線分図を描くと下の図のようになる。

上の線分図から、ジュース1本の値段は、40 + 80 = 120〔円〕
割引きしてもらった金額は80円、もとのジュース10本の値段は120 × 10 = 1200〔円〕より、このときの割引き率は、

$$\frac{80}{1200} \times 100 = 6.66 \cdots ≒ 6.7 〔\%〕$$

8 **A～Dの4人が1週間に携帯電話で受信したメールの数を調べたところ、ア～エのことがわかった。このとき、Dが1週間に受信したメールの数として正しいのはどれか。**

ア　Bの受信したメールの数はAの$\frac{1}{3}$であった。

イ　Bの受信したメールの数はCの$\frac{5}{12}$であった。

ウ　Dの受信したメールの数はCの$\frac{4}{3}$であった。

エ　4人のうち受信したメールの数が30通以上の者は2人いた。

1 16通
2 24通
3 28通
4 32通
5 36通

解説 Bの受信したメール数をもとに、A～Dの受信数を比較し、選択肢を検討しよう。

Aが受信したメールの数をa、Bが受信したメールの数をb、Cが受信したメールの数をc、Dが受信したメールの数をdとする。

アより、$b = \dfrac{1}{3}a$　$a = 3b$　……①

イより、$b = \dfrac{5}{12}c$　$c = \dfrac{12}{5}b$　……②

ウより、$d = \dfrac{4}{3}c$　　$d = \dfrac{4}{3} \times \dfrac{12}{5}b = \dfrac{16}{5}b$　……③

式①～③より、1週間に受信したメールの数が多い人から順に、
D＞A＞C＞Bとなり、エより、DとAの受信したメールの数が30通以上になる。

✕ **1**　Dが1週間に受信したメールの数は30通以上である。

✕ **2**　Dが1週間に受信したメールの数は30通以上である。

✕ **3**　Dが1週間に受信したメールの数は30通以上である。

◯ **4**　式③に代入すると、$32 = \dfrac{16}{5}b$より、$b = 10$〔通〕。これを式①に代入すると、$a = 3 \times 10 = 30$〔通〕より、題意に合う。

✕ **5**　式③に代入すると、$36 = \dfrac{16}{5}b$より、$b = 11.25$〔通〕。メールの数は整数でなくてはならない。

Aさんの貯金箱の中には100円玉と50円玉と10円玉が数枚ずつ入っていた。その後、Aさんは100円玉を8枚、10円玉を6枚使ったので、貯金箱の中の100円玉と50円玉と10円玉の枚数の比は5：7：1になり、金額は3分の2に減った。貯金箱にもともと入っていた100円玉、50円玉、10円玉の枚数の比はいくらか。

1 7：5：2
2 9：7：4
3 12：5：6
4 12：6：5
5 13：7：7

| 重要度 | （電球3つ） | 解答時間 | 3分 | 正解 | 2 |

解説 使った金額がもとの金額の3分の1になることに注目しよう。

使ったあとの100円玉、50円玉、10円玉の枚数をそれぞれx〔枚〕、y〔枚〕、z〔枚〕とすると、$x:y:z = 5:7:1$より、

$$x:y = 5:7 \quad y = \frac{7}{5}x \quad \cdots\cdots ① \qquad x:z = 5:1 \quad z = \frac{1}{5}x \quad \cdots\cdots ②$$

100円玉を8枚、10円玉を6枚使ったので、使った金額は、

$$100 \times 8 + 10 \times 6 = 860 〔円〕$$

使ったあとの合計金額がもとの3分の2に減ったということは、使った金額はもとの合計金額の3分の1になるので、もとの合計金額は、$860 \times 3 = 2580$〔円〕より、使ったあとの合計金額は、$2580 - 860 = 1720$〔円〕。①、②より、

$$100x + 50y + 10z = 100x + 50 \times \frac{7}{5}x + 10 \times \frac{1}{5}x = 172x = 1720$$

$$x = 10 〔枚〕$$

よって、$y = \frac{7}{5} \times 10 = 14$〔枚〕、$z = \frac{1}{5} \times 10 = 2$〔枚〕

したがって、もとの比は、$(10+8):14:(2+6) = 18:14:8 = 9:7:4$

10 0000から9999までの電話番号の下4桁の数字の組み合わせのうち、0727や7970のように、7を2個以上含む組み合わせは何通りあるか。

1 486通り

2 487通り

3 509通り

4 522通り

5 523通り

重要度		解答時間	3分	正解	5

 7が4個の場合、7が3個の場合、7が2個の場合に分けて、それぞれの場合の組み合わせを考えよう。

(1) 7を4個含む組み合わせ

7777の1通り。

(2) 7を3個含む組み合わせ

777○、77○7、7○77、○777となり、○には7以外の9つの数字が入るので、全部で9 × 4 = 36〔通り〕の組み合わせが考えられる。

(3) 7を2個含む組み合わせ

77○○、7○7○、7○○7、○77○、○7○7、○○77となり、○には7以外の9つの数字が入るので、全部で9 × 9 × 6 = 486〔通り〕の組み合わせが考えられる。

よって、7を2個以上含む組み合わせは、

1 + 36 + 486 = 523〔通り〕

11 両親と子ども2人の4人家族がいる。今年の両親の年齢の和は子ど も2人の年齢の和の3倍より2歳多い。5年後には両親の年齢の和 は子ども2人の年齢の和の2.5倍より4歳多くなる。現在の子ども2 人の年齢の和として、最も妥当なのはどれか。

1 28歳
2 31歳
3 34歳
4 37歳
5 38歳

重要度		解答時間	**3分**	**正解**	**3**

解説 現在の子ども2人の年齢の和を x 歳として考える。

現在の子ども2人の年齢の和を x 歳とすると、現在の両親の年齢の和は子ど も2人の年齢の和の3倍より2歳多いので $3x + 2$ 〔歳〕、5年後の両親の 年齢の和は $3x + 2 + 5 \times 2 = 3x + 12$ 〔歳〕となる。
5年後の子ども2人の和は $x + 5 \times 2 = x + 10$ 〔歳〕で、このとき、両親 の年齢の和は子ども2人の年齢の和の2.5倍より4歳多くなるので、 $2.5 \times (x + 10) + 4 = 2.5x + 29$ 〔歳〕となる。よって、 $3x + 12 = 2.5x + 29$ より、 $x = 34$ 〔歳〕

12 ある打者がホームランを打つ確率は30%である。いま、この打者が3回打席に立つとき、少なくとも1本はホームランを打つ確率として正しいのはどれか。

1 $\dfrac{27}{1000}$

2 $\dfrac{3}{10}$

3 $\dfrac{333}{1000}$

4 $\dfrac{343}{1000}$

5 $\dfrac{657}{1000}$

| 重要度 | ☀☀☀ | 解答時間 | 3分 | 正解 | 5 |

解説 1－（1本もホームランを打たない確率）で求めよう。

ホームランを打つ確率は30％なので、ホームランを打たない確率は100－30 ＝70〔％〕、つまり$\dfrac{7}{10}$である。よって、3回打席に立つとき、1本もホームランを打たない確率は、$\dfrac{7}{10} \times \dfrac{7}{10} \times \dfrac{7}{10} = \dfrac{343}{1000}$

よって、少なくとも1本はホームランを打つ確率は、

$1 - \dfrac{343}{1000} = \dfrac{657}{1000}$

過去 ❶ 一辺の長さが1である正三角形を3枚組合せた図形Aと、同じ正三角形を4枚組合せた図形B、Cを隙間なく重ならないように敷き詰めて、一辺の長さが3の正六角形をつくった。用いる図形A、B、Cの枚数の和をできるかぎり少なくするとき、必要な図形Aの枚数として、最も妥当なのはどれか。ただし、図形A、B、Cは裏返さず、少なくとも1枚は用いるものとする。

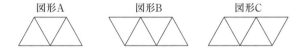

図形A　　　図形B　　　図形C

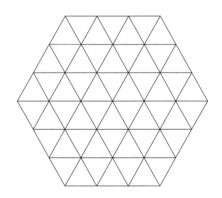

❶　1枚
❷　2枚
❸　3枚
❹　4枚
❺　5枚

| 重要度 | 🔆 🔆 🔆 | 解答時間 | 4分 | 正解 | 2 |

解説 ▶ 図形BとCを組み合わせて、図形Aの形が残るように正六角形に入れていこう。

図形を裏返すことはできないが、回転することはできる。図形Aを2枚使った場合の図形A、B、Cの組み合わせ方は複数の方法がある。下の図は、その例である。

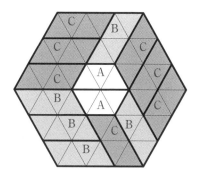 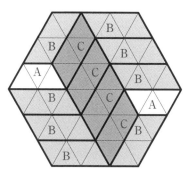

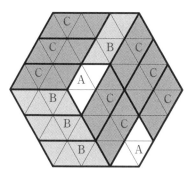

27個の小立方体を3段重ねて大立方体を作り、次の図のように矢印の3方向からドリルを使って、黒い印がある部分の面に対して垂直に穴を貫き通す。このとき、穴の開いていない小立方体の個数として正しいのはどれか。ただし、中心にある1つの小立方体のみ硬い金属でできていて、ドリルを通さないものとする。

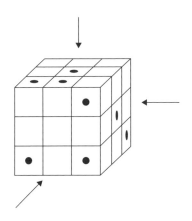

1 9個
2 10個
3 11個
4 12個
5 13個

| 重要度 | | 解答時間 | 2分 | 正解 | 2 |

解説 それぞれの段に穴が開いているかどうか考えよう。中心の1つの小立方体には穴が開けられないことがポイント。

大立方体を上の段・中の段・下の段の3つに分けて、穴が開いているかどうか考える。それぞれの段で、穴が開いている小立方体に×、穴が開いていない小立方体に○をつけると、下の平面図のようになる。斜線をつけた小立方体は硬い金属でできている。

〔上の段〕
右の列の3つの小立方体にはすべて穴が開く。

〔中の段〕
中の段の中央の小立方体は硬い金属でできているので穴が開かない。このため、右の列の中央から穴を開けたとき、左の列の真ん中の小立方体にも穴が開かない。

〔下の段〕
上に硬い金属の小立方体があるので、中央の小立方体には穴が開かない。

▼上の段 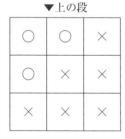　　▼中の段 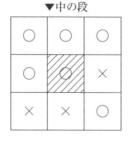　　▼下の段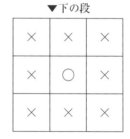

上の段では3個、中の段では6個、下の段では1個の小立方体に穴が開いていないので、合計10個の小立方体が該当する。

193

立方体A、B、Cをそれぞれ以下の3点を通る平面で切断したとき
の断面の図形の組合せとして、最も妥当なのはどれか。

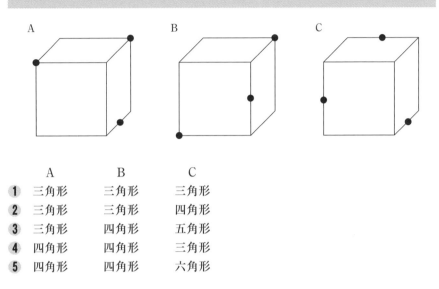

	A	B	C
1	三角形	三角形	三角形
2	三角形	三角形	四角形
3	三角形	四角形	五角形
4	四角形	四角形	三角形
5	四角形	四角形	六角形

重要度	☀ ☀ ☀	解答時間	2分	正解	5

 同じ平面上の2点を結んだ直線が切り口になる。また、立方体の
向かい合う面にできる切り口は平行になる。

それぞれの切断面は、下の図のようになる。Cでは、与えられた点が異なる
平面にあるので、2つの点を直線で結ばない。切断面が各辺の中点を通る場
合、切断面は正六角形になる。

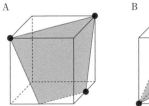 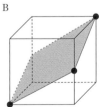 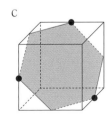

194

4 ある暗号で、「さくら」は「190111211801」、「こすもす」は
「1115192113151921」で表される。このとき、「25211809」で表され
るものとして、最も妥当なのはどれか。

1 桃
2 梅
3 菊
4 百合
5 薔薇

| 重要度 | 🔔🔔🔔 | 解答時間 | 3分 | 正解 | 4 |

解説 それぞれの文字に対応する数字の並びを見つけ、そこから暗号を解こう。

「さくら」に対応する数字は12個、「こすもす」に対応する数字は16個なので、
1つの文字に4個の数字が対応することがわかる。

「さ」→「1901」　「く」→「1121」　「ら」→「1801」
「こ」→「1115」　「す」→「1921」　「も」→「1315」

ここで、ひらがなをローマ字で表記し、数字を2つに分けると、

「S A」→「19 01」　「K U」→「11 21」　「R A」→「18 01」
「K O」→「11 15」　「S U」→「19 21」　「M O」→「13 15」

そこで、アルファベットに番号をつけてみると、

A→01　B→02　C→03　D→04　E→05　F→06　G→07　H→08
I→09　J→10　K→11　L→12　M→13　N→14　O→15　P→16
Q→17　R→18　S→19　T→20　U→21　V→22　W→23　X→24
Y→25　Z→26

となり、2つの数字の組み合わせがアルファベットを表していることがわかる。
よって、「25211809」で25→Y、21→U、18→R、09→Iと変換できるので、
「YURI」となり、「百合」を表している。

次のAとBの命題から、Cが導ける。Bの命題として、最も妥当なのはどれか。

A　紅茶が好きでない人は、コーヒーが好きでない。
B　（　　　　　　　　　　　　　　　　　　　）
C　コーヒーが好きな人は、ケーキが好きである。

1　紅茶が好きでない人は、ケーキが好きである。
2　紅茶が好きな人は、ケーキが好きでない。
3　ケーキが好きな人は、コーヒーが好きである。
4　ケーキが好きでない人は、紅茶が好きでない。
5　ケーキが好きな人は、紅茶が好きである。

| 重要度 | 🔔 🔔 | 解答時間 | 2分 | 正解 | 4 |

解説　記号を使って命題を表し、対偶と三段論法を利用して考えよう。

与えられた命題を、仮定→結論 という形で表し、好きな場合は「紅茶」、好きでない場合は「紅茶（上線）」と表すこととする。すると、命題AとCとその対偶は次のように表される。

	命題	対偶
命題A	「紅茶（上線）→コーヒー（上線）」	「コーヒー→紅茶」
命題C	「コーヒー→ケーキ」	「ケーキ（上線）→コーヒー（上線）」

選択肢の命題とその対偶は、次のようになる。
✕**1**　命題：紅茶（上線）→ケーキ　　対偶：ケーキ（上線）→紅茶
✕**2**　命題：紅茶→ケーキ（上線）　　対偶：ケーキ→紅茶（上線）
✕**3**　命題：ケーキ→コーヒー　　対偶：コーヒー（上線）→ケーキ（上線）
◯**4**　命題：ケーキ（上線）→紅茶（上線）　　対偶：紅茶→ケーキ
✕**5**　命題：ケーキ→紅茶　　対偶：紅茶（上線）→ケーキ（上線）

三段論法より、
命題Aの対偶（コーヒー→紅茶）かつ命題B**4**の対偶（紅茶→ケーキ）
→命題C（コーヒー→ケーキ）となる。

●**命題と三段論法を理解しよう**

1 命題

真偽の判断ができる文章を命題という。実際に正しいかどうかは考えなくてよい。ある命題が与えられているとき、その対偶は必ず真となる。

命題：仮定と結論からなり、真偽の基準となる文章。

A（仮定）→ B（結論）

例 $_A$コーヒーが好きな人は、$_B$ケーキが好きである。

逆 ：仮定と結論を**入れ替えた**文章。

B → A

例 $_B$ケーキが好きな人は、$_A$コーヒーが好きである。

裏 ：仮定と結論をそれぞれ**否定した**文章。

$\overline{A}$ → $\overline{B}$

例 $_{\overline{A}}$コーヒーが好きでない人は、$_{\overline{B}}$ケーキが好きでない。

対偶：仮定と結論を**入れ替え**、さらにそれぞれを**否定した**文章。

$\overline{B}$ → $\overline{A}$

例 $_{\overline{B}}$ケーキが好きでない人は、$_{\overline{A}}$コーヒーが好きでない。

2 三段論法

「A→B」「B→C」がそれぞれ真のとき、「**A→C**」も真となる。

例 「コーヒーが好きな人は、ケーキが好きである」

「ケーキが好きな人は、紅茶が好きである」

⇒「コーヒーが好きな人は、紅茶が好きである」

学生に、サッカー、野球、バレーボール、バスケットボールの4種類のスポーツ経験の有無を尋ねるアンケートをとったところ、ア〜ウのことがわかった。このとき、確実に言えることとして、最も妥当なのはどれか。

ア　サッカーの経験がある学生のうち、ある学生は野球の経験もあり、ある学生はバレーボールの経験もあった。
イ　野球の経験がある学生の中に、バレーボールの経験がある学生はいない。
ウ　野球の経験がある学生は、すべてバスケットボールの経験がある。

1　サッカーとバスケットボールの経験がある学生は、野球の経験もある。
2　サッカーと野球の両方の経験がある学生は、バレーボールの経験もある。
3　サッカーとバレーボールの両方の経験がある学生は、バスケットボールの経験もある。
4　バレーボールの経験がある学生のうち、野球の経験もある学生がいる。
5　バスケットボールの経験がある学生のうち、サッカーの経験もある学生がいる。

> **解説** ベン図を描いて、4つのスポーツ経験の有無の関係を明らかにするとわかりやすい。

ア～ウの条件をベン図に表すと、下の図のようになる。

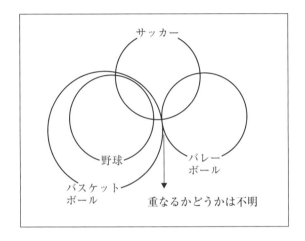

✕ **1** ウより、野球の経験があれば、バスケットボールの経験があることがわかるが、サッカーとバスケットボールの経験がある場合、野球の経験があるかどうかはわからない。

✕ **2** イより、野球の経験がある学生は、バレーボールの経験がないことがわかる。

✕ **3** ア～ウの条件からは、バレーボールの経験がある学生とバスケットボールの経験の関係はわからない。

✕ **4** イより、バレーボールの経験がある学生には、野球の経験はないことがわかる。

◯ **5** ア、ウより、サッカーと野球の経験がある学生は、バスケットボールの経験があることがわかる。

SECTION
4
一般知能
17
判断推理

A～Dの4人は、カーテン、カーペット、鏡、棚の4種類の家具のうち、それぞれ他の3人と重複することなく、いずれか1つを購入し、さらに、赤・白・青・黄の4色のマグカップのうち、それぞれ他の3人と重複することなく、いずれか1つを購入した。次のア～オのことがわかっているとき、確実にいえることとして、最も妥当なのはどれか。

ア　Aはカーテンと棚を購入せず、マグカップは黄色を購入しなかった。

イ　Bはカーペットと棚を購入せず、マグカップは青色を購入した。

ウ　Cはカーテンと鏡を購入しなかった。

エ　Dはカーペットと棚を購入しなかった。

オ　鏡を購入した人は、黄色のマグカップを購入した。

1　Aは赤色のマグカップを購入した。

2　Bは鏡を購入した。

3　Cは棚を購入し、白色のマグカップを購入した。

4　カーペットを購入した人は、赤色のマグカップを購入した。

5　カーテンを購入した人は、青色のマグカップを購入した。

解説 ▶ **与えられた内容を表にまとめて整理してから考えよう。**

　ア～エをもとに、家具とマグカップの購入に関する内容をまとめると、下の表のようになる。

	家具				マグカップ			
	カーテン	カーペット	鏡	棚	赤	白	青	黄
A	×			×				×
B		×		×			○	
C	×		×					
D		×		×				

○：購入した　　×：購入しなかった

　表から棚を購入したのはCとわかり、Cのカーペットの欄は×となる。よって、カーペットを購入したのはAとなり、Aの鏡の欄は×になる。BとDが購入したのがカーテンか鏡かは、この時点では不明である。

　さらに、Bは青色のマグカップを購入したので、オ「鏡を購入した人は、黄色のマグカップを購入した。」より、Bが購入したのはカーテンで、Dは鏡と黄色のマグカップになる。これらを整理すると、下の表のようになる。

	家具				マグカップ			
	カーテン	カーペット	鏡	棚	赤	白	青	黄
A	×	○	×	×			×	×
B	○	×	×	×	×	×	○	×
C	×	×	×	○			×	×
D	×	×	○	×	×	×	×	○

✕ **1**　Aが購入したマグカップの色は赤・白のどちらかは不明である。

✕ **2**　鏡を購入したのは、黄色のマグカップを購入したDである。

✕ **3**　Cは棚を購入したが、購入したマグカップの色は赤・白のどちらかは不明である。

✕ **4**　カーペットを購入したAは、赤・白のどちらのマグカップを購入したか不明である。

○ **5**　カーテンと青色のマグカップを購入したのはBである。

次の図のような3階建てのアパートに、A～Fの6人がそれぞれ異なる部屋に住んでいる。ア～オのことがわかっているとき、確実に言えることとして、最も妥当なのはどれか。

3階	301	302	303
2階	201	202	203
1階	101	102	103

左 ←――――――→ 右

ア　Aの真上の部屋は空き部屋ではなく、また、Aは1階ではない。

イ　CとDは同じ階だが隣ではなく、Cの真下は空き部屋である。

ウ　Bの左隣はEである。

エ　103号室は空き部屋ではない。

オ　各階に空き部屋は1つずつある。

① Aは201号室に住んでいる。

② Bは102号室に住んでいる。

③ Cは2階に住んでいる。

④ 203号室は空き部屋である。

⑤ EとFは部屋番号の末尾が同じである。

解説 ➡ **ア～オからわかることを整理し、場合分けして考えよう。**

同じ階に住んでいるのは、イからCとD、ウからBとE、オからAとFとなる。

AとF：アより、1階ではなくAの真上に部屋があることから、2階に住んでいることがわかる。

CとD：イより、Cの真下に空き部屋があることとアから3階に住んでいることになり、CとDは隣ではないので、302号室は空き部屋。

BとE：以上より、1階に住んでいる。また、Bの左隣はE（ウ）で、103号室は空き部屋ではない（エ）ので、Bは103号室、Eは102号室に住んでいて、101号室は空き部屋になることがわかる。

これらを踏まえて、場合に分けて、部屋割を考える。

(1)Cが301号室、Dが303号室に住んでいる場合（図1）

　Cの真下は空き部屋で、Aの真上は空き部屋でないので、Aは203号室、Fは202号室に住んでいることになる。

(2)Cが303号室、Dが301号室に住んでいる場合（図2）

　Cの真下は空き部屋で、Aの真上は空き部屋でないので、Aは201号室、Fは202号室に住んでいることになる。

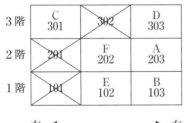

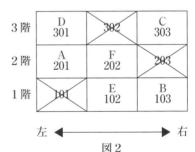

図1　　　　　　　　　　　図2

これにより、確実に言えるのは**5**である。

ＡさんがＸ村から川をはさんだＹ町に、馬１頭と狼１匹そして１束の牧草を運んでいる。川には舟が１隻あるが、Ａさん以外に馬、狼、牧草のうちどれか１つだけしか乗せることはできない。Ｘ村からＹ町、Ｙ町からＸ村への片道の移動を１回と数えるとき、すべてを運び終わる回数として、最も少ないのはどれか。ただし、Ａさんがそばにいないと馬は牧草を食べてしまい、狼は馬を食べてしまうので、ＡさんはこれらをＸ村またはＹ町に残して離れることはできない。

1 5回

2 6回

3 7回

4 8回

5 9回

重要度		解答時間	**2分**	正解	**3**

解説 Ｘ村からＹ町へ向かうときだけではなく、Ｙ町からＸ村へ戻るときも馬や狼、牧草を積むことができることに注目する。

(1)１回目の往復

　食べる・食べられるの関係は、牧草→馬→狼となるので、まず馬を乗せてＸ村からＹ町へ向かう。Ｙ町からＸ村に戻るときは何も乗せない。

(2)２回目の往復

　次に、狼を乗せてＹ町へ向かい、Ｘ村に戻るときには馬を乗せて帰る。

(3)３回目の往復

　今度は牧草を乗せてＹ町へ向かい、Ｘ村に戻るときは何も乗せない。

　（Ｙ町へ向かう舟に乗せる順番は(2)と(3)が逆でもよい。）

(4)最後の１回

　最後に、馬を乗せてＹ町へ向かう。

　よって、2 + 2 + 2 + 1 = 7〔回〕となる。

10 選択肢 1 ～ 5 のように、各面に異なる記号をつけたサイコロがあるが、このうちの 1 つだけは他のサイコロと記号の配置が異なっている。記号の配置が他と異なっているサイコロとして、最も妥当なのはどれか。

重要度	🔔🔔🔔	解答時間	2 分	正解	5

解説 見えない部分の記号がどうなっているか考えよう。

●のついた面を上にして、それぞれの側面を検討する。

1 では🔳と❖、**2** では🔳と○、**3** では✿と❖、**4** では✿と○、**5** では🔳と✿が隣り合っている。

側面の並び方は、**1**・**3** より🔳→❖→✿となり、さらに **2**・**4** より、✿→○→🔳となるので、記号の配置は右の図のようになっていると考えられる。

よって、🔳と✿が隣り合う **5** は配置が違っている。

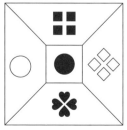

次の図のAからBまでの線上を通っていく道順のうち、最短でいく道順は何通りあるか。

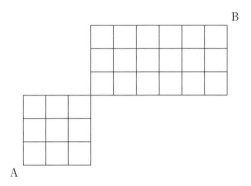

1 120通り
2 284通り
3 562通り
4 1120通り
5 1680通り

解説 **Aから順に、それぞれの交点までの行き方に何通りあるか書きこんでみよう。**

Aから真横に行く行き方は1通り、真上に行く行き方は1通りなので、Aの真横と真上の交点にそれぞれ1を書いていく。

右の図のように、Y地点から斜め前にあるX地点まで行くとき、X地点の真横の交点まで行くのに○通り、真下の交点まで行くのに△通りとすると、X地点までの行き方は、○＋△〔通り〕となる。

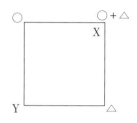

このようなルールに沿って、数字を入れていくと、下の図のようになる。

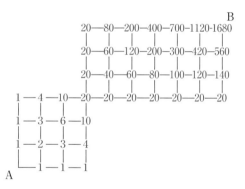

▼**別解** 組み合わせを使って解くこともできる。

下のブロックでは、最短距離で行くには横に3回、上に3回の計6回の移動を行う。上方向に移動する3回分を何回目で行うか決定する組み合わせは、

$$_6C_3 = \frac{6 \times 5 \times 4}{3 \times 2 \times 1} = 20 〔通り〕$$

上のブロックでは、$_9C_3 = \dfrac{9 \times 8 \times 7}{3 \times 2 \times 1} = 84$〔通り〕

よって、$20 \times 84 = 1680$〔通り〕

12 図Ⅰのように正方形を3回折って三角形を作った。この三角形の斜線部分ア、イ、ウのうちのいずれかを切り落として残った部分を広げたところ、図Ⅱのような図形となった。切り落とした部分として正しいのはどれか。ただし、図の点線は谷折であり、折った後は向きを変えずに斜線部を切るものとする。

図Ⅰ

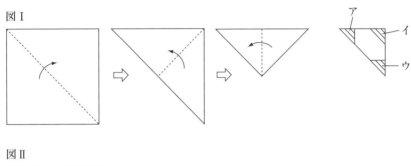

図Ⅱ

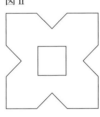

1 アのみ

2 アとイ

3 アとウ

4 イとウ

5 アとイとウ

解説 　図Ⅱを折っていって三角形を作ってみよう。

図Ⅰと同じように図Ⅱを折っていくと、下の図のようになる。

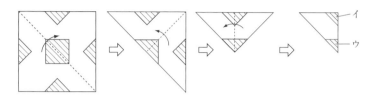

よって、イとウの部分を切り落としたと考えられる。

▼**別解** 　できる折り目を考えて求めることもできる。
図Ⅰと同じように図Ⅱを折っていったときに、図Ⅱ
には右の図のような折り目がつく。このとき、▢
の図形が、図Ⅰのいちばん右の三角形を切り落とし
た後の図形となる。

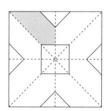

18 資料解釈

過去 **1** 下の資料は、対象別出火件数の推移をまとめたものである。この資料から判断できることとして、最も妥当なものはどれか。

（件）　対象別出火件数の推移

1 2016年から2020年までのいずれの年も、出火件数全体に占める林野火災の割合は、4％未満である。

2 2016年の車両火災の出火件数を100とする指数で表すと、2020年の車両火災の出火件数の指数は、80を下回っている。

3 2020年の出火件数の対前年減少数は、車両火災の方が林野火災より多い。

4 2020年の建物火災の出火件数減少率は、2016年に対する減少率の方が、2019年に対する減少率より大きい。

5 2016年から2020年までのいずれの年も、その他の出火件数は、建物火災の出火件数の50％を超えている。

解説 ▸ 対前年出火件数減少率 [%] = $\dfrac{\text{前年の出火件数－今年の出火件数}}{\text{前年の出荷件数}} \times 100$

○ **1** 林野火災の出火件数が4％になる出火件数は、

2016年：$1{,}027 \div \dfrac{4}{100} = 25{,}675$ [件]

2017年：$1{,}284 \div \dfrac{4}{100} = 32{,}100$ [件]

2018年：$1{,}363 \div \dfrac{4}{100} = 34{,}075$ [件]

2019年：$1{,}391 \div \dfrac{4}{100} = 34{,}775$ [件]

2020年：$1{,}239 \div \dfrac{4}{100} = 30{,}975$ [件]

いずれも出火件数全体よりも少ないので、出火件数全体に占める林野火災の割合は4パーセント未満である。

✕ **2** 2020年の車両火災の出火件数の指数は、$100 \times \dfrac{3{,}466}{4{,}053} = 85.5\cdots$
よって、80を上回っている。

✕ **3** 2020年の出火件数の対前年減少数は、
車両火災：$3{,}585 - 3{,}466 = 119$ [件]
林野火災：$1{,}391 - 1{,}239 = 152$ [件]
よって、林野火災の方が車両火災よりも多い。

✕ **4** 2016年に対する減少率は、$\dfrac{20{,}991 - 19{,}365}{20{,}991} \times 100 = 7.74\cdots \fallingdotseq 7.7$ [％]

2019年に対する減少率は、$\dfrac{21{,}003 - 19{,}365}{21{,}003} \times 100 = 7.79\cdots \fallingdotseq 7.8$ [％]

よって、2016年に対する減少率は2019年に対する減少率より小さい。

✕ **5** 建物火災の出火件数の50％は、
2016年：約10,496件　2017年：約10,683件　2018年：10,382件
2019年：約10,502件　2020年：約9,683件
よって、2016年は、その他の出火件数（10,310件）は、建物火災の出火件数の50％を超えていない。

SECTION **4** 一般知能 **18** 資料解釈

211

下のグラフは、ある年の世界の米の生産量と輸出量を国別にまとめたものである。このグラフから判断できることとして、最も妥当なのはどれか。

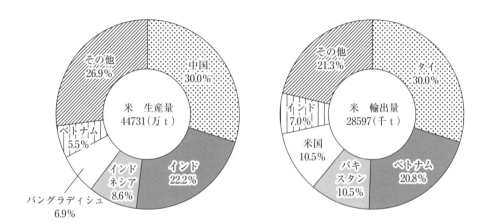

1. 生産量が上位の5ヵ国は、どの国も輸出量の上位5ヵ国には入っていない。
2. タイの輸出量は、世界の全生産量の10％を超えている。
3. ベトナムの輸出量は、ベトナムの生産量の20％を超えている。
4. バングラディシュの生産量は、タイの輸出量の5倍を超えている。
5. 米の全生産量の50％以上が輸出されている。

> **解説** 生産量の単位は「万t」、輸出量の単位は「千t」と一桁違うことに注意する。

✕ **1** ベトナムとインドは、生産量と輸出量の両方の上位5ヵ国に入っている。

✕ **2** タイの輸出量は、

$$28,597,000 \times \frac{30.0}{100} = 8,579,100 \ [t]$$

世界の全生産量の10%は、

$$447,310,000 \times \frac{10}{100} = 44,731,000 \ [t]$$

よって、タイの輸出量は世界の全生産量の10%を超えていない。

◯ **3** ベトナムの輸出量は、

$$28,597,000 \times \frac{20.8}{100} = 5,948,176 \ [t]$$

ベトナムの生産量は、

$$447,310,000 \times \frac{5.5}{100} = 24,602,050 \ [t]$$

輸出量が生産量に占める割合は、

$$\frac{5,948,176}{24,602,050} \times 100 \fallingdotseq 24.2 \ [\%]$$

よって、ベトナムの輸出量はベトナムの生産量の20%を超えている。

✕ **4** バングラディシュの生産量は、

$$447,310,000 \times \frac{6.9}{100} = 30,864,390 \ [t]$$

タイの輸出量の5倍は、$8,579,100 \times 5 = 42,895,500 \ [t]$

よって、バングラディシュの生産量はタイの輸出量の5倍を超えていない。

✕ **5** 米の全生産量の50%は、

$$447,310,000 \times \frac{50}{100} = 223,655,000 \ [t]$$

米の輸出量は28,597,000tなので、全生産量の50%未満である。

下の資料は、ある検定試験の結果を示したものである。この資料から判断できることとして、最も妥当なのはどれか。

	第1回		第2回		第3回	
	受験者数 （人）	合格率 （％）	受験者数 （人）	合格率 （％）	受験者数 （人）	合格率 （％）
1級	1,191	7.8	1,024	10.4	1,051	5.9
準1級	4,946	15.4	4,605	13.4	5,469	17.4
2級	52,817	18.0	45,049	22.2	50,388	24.0
準2級	92,894	29.0	93,759	34.7	86,030	36.8
3級	139,832	45.0	175,245	45.7	128,141	45.0

1 第1回から第3回までの3級の試験で、合格者数が最も多かったのは第1回である。

2 第1回から第3回までの準2級の試験で、不合格者数が最も多かったのは第1回である。

3 第1回から第3回までの2級の試験は、合格者の平均人数が10,000人を下回っている。

4 準1級の合格者数は、第1回から第3回まで増加し続けている。

5 1級の試験についてみると、第3回の合格者数は、第2回の合格者数の半分を下回っている。

| 重要度 |  | 解答時間 | 4分 | 正解 | 2 |

解説 不合格者数［人］＝受験者数×$\dfrac{100-合格率}{100}$

✕ **1** 3級の受験者数は第2回が最も多く、合格率も第2回が最も大きいので、合格者数も第2回が最も多い。

○ **2** 第1回〜第3回までの準2級の試験の不合格者数は、次のようになる。

第1回：$92,894 × \dfrac{100-29.0}{100} ≒ 65,955$［人］

第2回：$93,759 × \dfrac{100-34.7}{100} ≒ 61,225$［人］

第3回：$86,030 × \dfrac{100-36.8}{100} ≒ 54,371$［人］

よって、不合格者数が最も多かったのは第1回である。

✕ **3** 第1回〜第3回までの2級の試験の合格者数は、次のようになる。

第1回：$52,817 × \dfrac{18.0}{100} ≒ 9,507$［人］

第2回：$45,049 × \dfrac{22.2}{100} ≒ 10,001$［人］

第3回：$50,388 × \dfrac{24.0}{100} ≒ 12,093$［人］

合格者の平均人数は、$(9,507 + 10,001 + 12,093) ÷ 3 ≒ 10,534$［人］より、10,000人を上回っている。

✕ **4** 準1級の受験者数は第1回より第2回の方が少なく、合格率も第1回より第2回の方が低いので、第2回の合格者数は第1回より減少している。

✕ **5** 1級の試験の第2回と第3回の合格者数は、次のようになる。

第2回：$1,024 × \dfrac{10.4}{100} ≒ 106$［人］

第3回：$1,051 × \dfrac{5.9}{100} ≒ 62$［人］

第2回の合格者数の半分は$106 ÷ 2 = 53$［人］より、第3回の合格者数は第2回の合格者の半分を上回っている。

SECTION **4**

一般知能 **18**

資料解釈

下のグラフは、東京都の降水量を月別に調べ、1月からの累計をま とめたものである。このグラフから判断できることとして、最も妥 当なのはどれか。

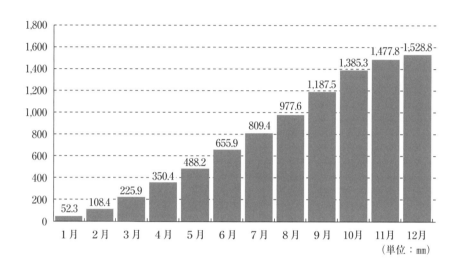

① 1年の中で降水量が最も多かったのは7月である。

② 1月から6月までの降水量の平均は、7月から12月までの降水量の平均を上 回る。

③ 11月の降水量よりも12月の降水量の方が多かった。

④ 9月と10月の2か月間の降水量は400mm以上であった。

⑤ 1年間の中で降水量が最も少なかったのは1月である。

解説 ▶ **ある月の降水量＝その月の降水量の累計－前の月の降水量の累計**

✕ **1** 棒グラフの高さの差が降水量を表しているので、差が最も大きい9月
の降水量が最も多い。実際の降水量は、次のようになる。

1月：52.3mm

2月：108.4 − 52.3 = 56.1［mm］

3月：225.9 − 108.4 = 117.5［mm］

4月：350.4 − 225.9 = 124.5［mm］

5月：488.2 − 350.4 = 137.8［mm］

6月：655.9 − 488.2 = 167.7［mm］

7月：809.4 − 655.9 = 153.5［mm］

8月：977.6 − 809.4 = 168.2［mm］

9月：1,187.5 − 977.6 = 209.9［mm］

10月：1,385.3 − 1,187.5 = 197.8［mm］

11月：1,477.8 − 1,385.3 = 92.5［mm］

12月：1,528.8 − 1,477.8 = 51.0［mm］

✕ **2** 1月から6月までの降水量の平均は655.9 ÷ 6 ≒ 109.3［mm］で、7月
から12月までの降水量の平均（1,528.8 − 655.9）÷ 6 ≒ 145.5［mm］を下
回る。

✕ **3** 11月と10月の棒グラフの高さの差の方が12月と11月の棒グラフの高さ
の差よりも大きいので、11月の降水量の方が多かった。

〇 **4** 9月と10月の2か月の降水量は、1,385.3 − 977.6 = 407.7［mm］

✕ **5** 降水量が最も少なかったのは12月である。

下の表は、献血者数とその年代別構成比を地域別にまとめたものである。この表から判断できることとして、最も妥当なのはどれか。ただし、表中の数値は端数処理しているため、合計が100%とならない場合がある。

	献血者数 （人）	年代別構成比（％）					
		16〜19歳	20〜29歳	30〜39歳	40〜49歳	50〜59歳	60〜69歳
北海道	254,075	5.9	14.9	15.5	26.0	25.0	12.7
東北	337,931	5.8	15.1	17.7	26.4	25.1	9.9
関東甲信越	1,815,286	5.6	15.3	16.8	27.4	25.8	9.0
東海北陸	652,953	5.2	14.3	16.6	28.4	26.2	9.3
近畿	851,568	4.9	15.1	15.6	26.9	26.7	10.9
中四国	442,690	5.0	14.0	16.6	28.2	25.7	10.5
九州	571,985	5.6	13.9	17.6	27.6	24.6	10.7
全国合計	4,926,488	5.4	14.8	16.6	27.4	25.8	10.0

① 北海道の30〜39歳の献血者数は、5万人を超えている。

② 東北の50〜69歳の献血者数は、近畿の16〜29歳の献血者数よりも少ない。

③ 全国合計の献血者数に占める関東甲信越の献血者数の割合は40%を超えている。

④ 40〜49歳の献血者数において、東海北陸は7つの地域の中で4番目に多い。

⑤ 年代別の献血者数では、中四国の献血者数の方が九州の献血者数よりも多い年代がある。

解説 年代別の献血者数＝その地域の献血者数×$\dfrac{\text{年代別構成比}}{100}$

✕ **1** 北海道の30〜39歳の献血者数は、$254,075×\dfrac{15.5}{100}≒39,382$〔人〕より、5万人を超えていない。

○ **2** 東北の50〜69歳の献血者数は、$337,931×\dfrac{25.1+9.9}{100}≒118,276$〔人〕

近畿の16〜29歳の献血者数は、$851,568×\dfrac{4.9+15.1}{100}≒170,314$〔人〕

よって、東北の50〜69歳の献血者は、近畿の16〜29歳の献血者よりも少ない。

✕ **3** 全国合計の献血者に占める関東甲信越の献血者数の割合は、$\dfrac{1,815,286}{4,926,488}×100≒36.8$〔％〕より、40％を超えていない。

✕ **4** 40〜49歳の献血者数は次のようになる。

北海道	東北	関東甲信越	東海北陸	近畿	中四国	九州
66,060	89,214	497,388	185,439	229,072	124,839	157,868

(単位：人)

よって、献血者が多い順に、関東甲信越、近畿、東海北陸、九州、中四国、東北、北海道となり、東海北陸は7つの地域の中で3番目に多い。

✕ **5** 九州の方が中四国よりも献血者数が多いので、年代別構成比が中四国の方が大きい20〜29歳、40〜49歳、50〜59歳の献血者数を比較する。

20〜29歳　中四国：$442,690×\dfrac{14.0}{100}≒61,977$〔人〕

　　　　　九州　：$571,985×\dfrac{13.9}{100}≒79,506$〔人〕

40〜49歳　中四国：124,839人　　九州：157,868人（**4**の解説参照）

50〜59歳　中四国：$442,690×\dfrac{25.7}{100}≒113,771$〔人〕

　　　　　九州　：$571,985×\dfrac{24.6}{100}≒140,708$〔人〕

よって、中四国の献血者数の方が九州の献血者より多い年代はない。

文章理解

- ●和文…現代文、古文とも要旨把握が中心となります。
- ●英文…内容把握が中心です。短文が多いですが、内容に対するしっかりとした理解度が問われます。

数的処理

- ●図形の面積の出し方を確認してください。
- ●仕事算や濃度算などの定番の問題は、解き方のテクニックを完璧に身につけましょう。
- ●組み合わせや確率の問題もよく出題されます。

判断推理

- ●命題から対偶と三段論法を使うテクニックをマスターしてください。
- ●与えられた条件から類推する問題は、ベン図や表などを使って解くことがポイントです。
- ●立方体や展開図の問題も数をこなして、解き慣れることが大切です。

資料解釈

- ●グラフや表の中身をすばやく、適切に判断できるようになりましょう。単位や求められていることがらを正確につかむことが肝心です。
- ●必要のない計算はしないように。短時間で解くテクニックを身につけてください。

作文試験

与えられた課題に沿って、決められた字数、決められた時間で作文を書きます。
書く前に準備をしっかりと行い、簡潔で、読み手にわかりやすい文章を書くことがとても大切です。
自分で課題を設定して練習し、書き慣れることが攻略のカギとなります。

作文試験

■字数はおおよそ800～1200字
■時間は60～90分程度です

作文試験の目的

　教養試験や適性検査では見ることのできない、受験者の内面的な資質を見ようとするのが「作文試験」です。

　これから就く**「消防官」という仕事に対しての抱負**や、**社会人としての心構え、自分自身をきちんと知っているか**などが問われます。

自分を知り、社会に関心をもつ

　自己分析をすることはどんな採用試験を受ける場合でも大切なことです。
以下の点について整理してみましょう。

★自分の長所と短所は何か
★最近熱中したこと、興味をもったことは何か
★なぜ「消防官」という仕事を選んだのか

また、社会人として社会の動向に関心をもつことも大事です。

★ニュースや新聞で話題になっていることは何か
★「消防」に関する最近のできごとは何か

書き始める前に構成を考える

与えられた課題から、自分自身の身近なことがらや
経験したことがらを材料としていくつか取り上げる

そのなかからひとつを選ぶ

ココが一番重要

選んだ材料をもとに全体の構成（起承転結）を考える

実際に書き出す

ひとつの結論を導き出す

段落の構成を復習する

「起承転結」の段落構成とは何かを復習しましょう。

起 ▶ 課題に対しての自分なりの問いや導入的なことがら
⬇
承 ▶ 自分の意見を示す
⬇
転 ▶ 「承」を裏付ける体験談や具体的なできごと
⬇
結 ▶ 意見や結論、問いに対する答え

ココはかならずチェック

★時間配分を考える

段落構成を考える時間は**全体の4分の1程度**

⬇

文章を書く

⬇

見直しをする（**5～10分くらい**）

★字数制限を守る

「800字以上1200字程度」という字数を与えられたら、かならず800字以
上で仕上げるようにします。**字数オーバー**をしないようにしましょう。

書き慣れることが大切！

★p.224～228の課題に対する答案例やアドバイスを読んでください。
これらの課題に対して、自分でも作文を書いてみましょう。
「書き込みスペース」の原稿用紙をコピーして使い、何度でもチャレンジ
しましょう。

作文試験

答案例

　私が小学生のとき、隣の家でボヤ騒ぎがあった。隣家の人がストーブの近くに洗濯物を干し、それに火が移ったとのことだった。すばやい通報により、消防車がすぐに出動してきた。はしご車や救急車が来たときにはびっくりしたが、放水して、ほどなく鎮火した。❶ 消火活動の機敏さやチームプレイのすばらしさが、幼い私の印象に大きく残った。

　消防の仕事はいつも危険が伴い、一瞬たりとも気を抜くことはできない。火災や災害の現場に駆けつけ、火を消し、救助し、病院へ搬送するなど、時間との戦いでもある。普通の仕事とは違い、9 時に仕事を始め、夕方 5 時には終了することもできない。しかし、どんな仕事よりもやりがいのある仕事であると思う。❷ 困っている人を助け、人の生命を救う。近年は、日本の災害救助隊が海外で発生した大規模災害の救援に向かった❸ ということも話題にのぼっている。このようなニュースを聞くとうれしくなる。

　中学、高校を通して陸上部に所属していた。寒い冬の朝の練習はつらく、一生懸命練習をして試合に臨んでも、よい結果を残せないこともある。しかし、苦しいときに、「もうひとがんばり」と思えるようになろうと努力してきた。苦しいことを仲間と乗り越えて、次によい結果が出せたときのうれしさは、何ものにも代えがたい。県大会のリレーで、あと少しで次の走者へバトンを渡せると思ったのに、一瞬の気の緩みで転倒し、右足首を痛めてしまった。ちょっとの気の緩みが怪我につながるという経験をした。❹ これは、私にとって痛くはあったが、よい経験になった。

　消防の仕事をするには、訓練を重ねて覚えるべきことがたくさんある。学生時代に経験したことを基礎にして、日々訓練をし、災害現場で仕事ができるようになりたい。国内だけでなく、将来は、海外で困っている人を助ける仕事ができるようになることをめざしたい。❺ そのためにもこれから、日本の高い技術とチームワークの重要性をしっかりと勉強しなければならない。新しい仲間との出会いも楽しみである。いま、未知の世界の入り口に立って、一歩を踏み出そうと胸が高鳴っている。❻

(864字)

アドバイス

❶ 目の前に情景が浮かんでくるように書く

体験したことは、**目の前にそのときの様子が浮かんでくるように書く**と、わかりやすく、相手に訴えるインパクトも増す。火事の現場で、どのように放水されて、隊員たちがどのように活動していたかが、少しでも具体的に示されていたら、よりわかりやすい。

❷ 前向きな姿勢を示す

仕事に対する大変さや苦労はどのような職業に就いても同じこと。そのなかで、**前向きで明るい態度を示す**ことが大切である。マイナス面ではなくプラス面をアピールし、苦しい状況のなかでもそのなかから明るいことがらを拾い出すように心がける。

❸ 社会に目を向ける

「消防」に関して勉強することや新聞・ニュースを見ることも必要なことである。最近話題になっていること、**最新の時事的な要素**をいれることができれば、勉強していることをアピールできる。「消防」に対して、**現在ばかりでなく未来にも目を向けている**ことを表すことができれば、かなりの好印象である。

❹ 体験を語れば説得力が増す

自分自身が経験したことから、将来への仕事を語ることができれば、読み手に強い印象を与えることができる。学生時代の部活動での経験が、苦しいことに立ち向かう活力になり、失敗から学んだことをこれからに活かしたいと結ぼう。

❺ 大きな目標にまで展開できればGOOD

身近な目標から将来的な大きな目標にまで話を展開できれば、より印象深い作文が書けたことになる。非現実的でおおげさなものはよくないが、**大きな視野でものを見ることができる**ことを表そう。

❻ 字数制限は必ず守る

字数が800字から1200字と決められているので、字数オーバーはしないように。

答案例

　これからの消防官に求められるものは、人とのコミュニケーション能力だと思う。❶消防官には強い精神力や体力が必要なことはもちろんだが、仕事場や地域の人たちとのコミュニケーションはとても大切なことだ。大きな災害のときは、とくに地域の住民の日ごろからの防災への思いや、防災訓練の結果が状況を左右する。地域の人と協力することが何よりも重要となってくる。

　私は高校2年生のときに生徒会の委員をした。その年は校舎の一部建て替えがあり、安全面からも体育祭は中止したほうがいいという提案が学校側からあった。生徒会のメンバーからも中止の案に賛成の者が数多く出た。高校生活における大きなイベントでもあり、学年を通して一体となり、ひとつの目標に向かっていく体育祭を中止にしてしまうのは、私はとても残念なことだと思った。❷なんとかして開催する方法はないかと生徒会の仲間3人と考えた。例年より競技数を減らし、狭くなっている校庭でできる競技に数をしぼった。また、クラス対抗の応援合戦に時間をかけ、点数をつけることにした。この提案をまず、先生たちに納得してもらい、生徒会の委員たちにじっくりと説明した。時間はかかったが、最終的には体育祭を催すことができた。そして、いつもとは少し違った楽しい思い出をつくることができた。

　意見がちがっても自分の考えをしっかり説明し、相手の言うこともきちんと聞く。そのうえで、解決策として新しい提案をし、それを双方で考えて、歩み寄れるところがあるか考える。相手の立場に立つことを忘れなければ、解決の道はかならずある。仕事に就いてからも、いろいろな立場の人とたくさんの場所で意見を出し合うだろう。自分の思っていることを理解してもらえなかったり、相手の言うことにとまどうこともあるはずだ。スムーズに運ぶことのほうが少ないかもしれない。そんなときにこそ、広い視野をもって柔軟な心で、物事を対処できる人になりたい。❸

　生命に関わる仕事に携わる人間として、地域の人々と協力して防災体制を整え、同じ現場で働く仲間とは、技術を高め合いながら意見交換をしっかりしていきたい。コミュニケーション力を高めることが、これからは働くうえでとても重要になってくると確信している。❹

(918字)

❶ 冒頭で結論を述べる

文章の一番はじめで「○○は〜だ」と結論を述べ、そのあとに説明をする書き方もある。これは、わかりやすく力強い印象になる。ｐ223にあるような起承転結を基本に考えることは大切だが、インパクトのある書き方も工夫してみよう。

❷ 一文は50字程度にする

一文は50字程度にする。それ以上になる場合は二文にできないかを考える。一文の字数が多いと文のねじれが生じやすく、意味が不鮮明になることがある。この場合はギリギリの分量。短い文の積み重ねによる文章は、テンポよく読み進めることができる。

❸ 経験から仕事へとつなげる

学生時代の身近な経験（この場合は高校時代の経験談）から仕事に対する意欲へとつなげる。仕事について具体的なことがわからないのは当然。**自分がいままでに経験したことから、今後の決意へと話を展開する**。背伸びをした内容を書く必要はない。自分にとっての身近なことは書きやすく、読み手に対しても説得力のあるものとなる。

❹ 書き出しと呼応していることが大切

冒頭で述べた結論と最終部分で述べたことが合っていることが必要。自分の高校時代の経験から仕事へと話を広げ、結論（この場合はコミュニケーション力の必要性）が冒頭部分と呼応している。

★ワンポイントレッスン

1 **文体の統一**……「だ・である」調と「です・ます」調が１つの作文のなかで混在しないように。どちらかにそろえる。

2 **誤字・脱字**……間違った漢字や脱字がないか、残り５〜10分で点検しよう。漢字がわからなかったら**平仮名に**。間違った漢字を使うよりはいい。

3 **流行語**…………**流行語**や**若者言葉**はNG。**話し言葉**も使わないように。

作文試験

アドバイス

❶「社会のルール」とはどのようなことかを考える。身近なところから考えて、**学校の校則や地域で暮らすなかでの約束事**などを思い起こしてみる。

❷「ルールを守る」ということで、**実際に経験したこと**（成功した話でも失敗したことから学んだ話でもよい）を材料にする。

❸**全体の構成を考える**

いくつかの材料から 1 つを選ぶ。

経験を具体的にわかりやすく述べる。

身近なできごとから「社会のルール」という**広い世界に話を展開して**、結論へと導く。

❹**実際に書き始める**

楷書でていねいな文字で書く。文法表現や漢字に誤りがないか、指定された字数内で書かれているかの最終チェックを忘れないように。

p.229〜231 の 3 ページに、原稿用紙を用意しました。コピーして何回でも使ってください。

過去 1、過去 2、過去 3 の課題に沿って、自分でも実際に作文を書いてみましょう。いろいろな課題を設定して、繰り返し練習することが大切です。時間を計りながら練習するとより効果的です。

●原稿用紙はコピーして使ってください。

（16字詰）

100

200

300

400

作文試験

500

600

700

800

900

1000

1100

1200

本文デザイン　たじまはる
編集協力　㈱稲穂堂　㈲ウィッチハウス　伊奈智加
　　　　　下村良枝　林茂夫　大木裕子　オフィスエル
表紙デザイン・イラスト　ふるやデザイン・ルーム

本書に関する正誤等の最新情報は、下記のURLをご覧ください。
https://www.seibidoshuppan.co.jp/support/

上記アドレスに掲載されていない箇所で、正誤についてお気づきの場合は、書名・発行日・質問事項（ページ・問題番号など）・氏名・郵便番号・住所・FAX番号を明記の上、**郵送**または**FAX**で、**成美堂出版**までお問い合わせください。

※**電話でのお問い合わせはお受けできません。**

※本書の正誤に関するご質問以外はお受けできません。また受験指導などは行っておりません。

※ご質問の到着確認後10日前後に、回答を普通郵便またはFAXで発送いたします。

※ご質問の受付期限は、2025年10月末までに実施の各試験日の10日前必着といたします。ご了承ください。

消防官Ⅲ類・B過去問題集 '26年版

2024年11月10日発行

編　著　成美堂出版編集部

発行者　深見公子

発行所　成美堂出版
　　　　〒162-8445　東京都新宿区新小川町1-7
　　　　電話(03)5206-8151　FAX(03)5206-8159

印　刷　大盛印刷株式会社

©SEIBIDO SHUPPAN 2024　PRINTED IN JAPAN
ISBN978-4-415-23894-4